Chefs-d'œuvre du Musée des Arts Décoratifs

Chefs-d'œuvre du Musée des Arts Décoratifs

Musée des Arts Décoratifs / Flammarion

PRÉFACE

Au départ, l'Union des Arts Décoratifs a été constituée par des industriels pour développer le beau dans l'utile. Ce « projet » s'est poursuivi depuis un siècle. Notre ambition s'est même élargie par l'introduction récente dans le domaine du musée de recherches qui, autrefois, n'y pénétraient pas, d'activités aussi différentes, même aussi opposées les unes aux autres que celles concernant la mode ou l'industrie du verre, etc. C'est toute la vie que nous voulons embellir, sans nous limiter à des aspects réputés plus nobles que d'autres.

Avec les années, cette tâche difficile est devenue trop lourde pour les seules fortunes privées. Il a fallu l'aide de l'État pour assurer notre fonctionnement.

Mais les personnes privées ont continué d'exercer leur sollicitude d'une manière différente. C'est par des dons en nature que le plus souvent le musée s'est enrichi. De nombreuses familles, ne pouvant conserver des pièces souvent rares, ont préféré, plutôt que de les vendre, les donner au musée, ayant l'impression ainsi de ne pas abandonner des objets pour elles riches de souvenirs, les salles du musée prolongeant en quelque sorte leur demeure. Que d'histoires d'heurs ou de malheurs ces objets pourraient nous confier...

C'est donc par le fruit du hasard, des rencontres de nos conservateurs avec nos amis que chaque objet a pénétré dans notre musée sans que sa présence résulte d'un plan systématique.

Il reste que la permanence de nos équipes ayant une connaissance innée de nos besoins a suppléé dans une certaine mesure à l'absence d'un plan. Un de nos présidents est demeuré cinquante ans dans cette maison, un de nos conservateurs plus de vingt ans. Les uns comme les autres connaissaient admirablement les objectifs qu'ils voulaient atteindre et se sont attachés à mettre à profit les occasions qui se présentaient. Ils ont su nouer et poursuivre des relations étroites entre des familles amies et le musée, et avec patience, avec amour, engranger ce qu'ils avaient semé.

Ce catalogue nous présente des chefs-d'œuvre qui ont chacun une histoire; notre maison est l'expression du choix d'hommes de goût et de culture. Ce choix, nous l'avons sauvé de l'oubli. Musée de la permanence, de la fidélité, les Arts Décoratifs sont aussi le musée de l'amitié.

Robert BORDAZ

INTRODUCTION

Qu'on les classe par matière, par époque ou par genre, les collections du Musée des Arts Décoratifs sont tellement diverses qu'elles défient le bon sens. C'est le reflet de la vie. Qu'on veuille en distinguer les plus beaux spécimens, c'est admettre des hiérarchies qui sont le contraire de la vie. C'est pourtant ce que nous faisons dans ce catalogue en tout arbitraire avoué, par pure commodité. Une pièce d'orfèvrerie de Thomas Germain à cause de sa rareté, de la qualité de son exécution, est-elle nécessairement plus remarquable qu'une quelconque mais sympathique assiette de faïence ? Ce n'est pas évident : question de point de vue, selon le goût, l'époque, les préjugés... Une seule manière de trancher, s'en tenir à la pièce unique caractéristique, pratiquement introuvable ailleurs mais sachant que l'on aurait pu faire deux, trois choix et davantage encore, aussi conventionnels, aussi satisfaisants que celui-ci, avec le même souci de faire connaître l'exceptionnelle richesse de nos collections.

Le Musée des Arts Décoratifs n'est pas le Louvre. Notre fonds s'est constitué au gré des donations, il n'est donc pas systématique. Il est beaucoup plus, sociologiquement parlant, l'expression délibérée du goût raffiné des amateurs parisiens que la patiente démarche d'historiens soucieux de conserver les plus insignes chefs-d'œuvre de l'art.

Un programme : « Le patriotisme et la foi sociale », une devise non moins ambitieuse : « Le beau dans l'utile », président depuis plus d'un siècle au destin de notre musée. Ah ! les braves gens ! Nous en sourions encore parce que tant de candeur affirmée nous paraît le comble d'une société qui croyait aux valeurs sûres, à la sécurité du franc, à la paix universelle... Ainsi avons-nous vécu un peu à la manière des autruches, ainsi survivent les grandes familles qui se raccrochent aux illusions qui ont bercé les générations antérieures et puis aussi parce qu'il faut bien que le déraisonnable,

7

l'absurde même, soient encore écoutés quand les principes, les conventions, l'administration font semblant de triompher. C'était en effet déraisonnable, voire absurde, de créer un musée privé face aux galeries nationales et il fallait beaucoup d'audace de la part de nos promoteurs et, de la part de l'État, un singulier humour, c'est-à-dire un grand sens du service public en favorisant deux institutions analogues, la petite à côté de la grande, celle-là comme une mouche sur un beau visage ou comme une épine au talon mais, dans tous les cas, un facteur certain d'émulation. Ainsi, dans les familles, il arrive que l'on s'égratigne mais on fait front commun quand l'essentiel est en cause. Jean-Louis Vaudoyer qui avait commencé sa carrière aux Arts Décoratifs et qui, par conséquent, connaissait bien le milieu, écrivait en 1920 : « L'émulation crée la vie et ce musée est un lieu d'émulation. Nous savons que l'on y travaille moins dans le devoir que dans l'amour. » J'aime à penser que c'est encore vrai en 1985. Si l'Union centrale n'avait pas existé, on l'aurait inventée et il est satisfaisant de constater qu'Orsay, avec infiniment plus de moyens il est vrai, s'en inspire dans sa politique globalement cohérente à l'égard de la création.

Conçu par des amateurs et pour des amateurs, le Musée des Arts Décoratifs reste fidèle à sa vocation et à ce titre, il restera exceptionnel. On aura beau dire qu'il est anachronique ou élitiste — tant mieux — c'est l'opinion de jaloux qui préfèrent la modernité du passé à celle de leur temps et qui oublient que la véritable élite est celle du cœur. Notre propos, — et nous en serions matériellement incapables — n'a jamais été de séduire le grand nombre mais il nous plaît de donner à ceux qui apprécient, pour qu'ils les contemplent, des objets banals ou rares qui transmettent de génération en génération le témoignage d'amitié, et peut-être d'amour, de celui qui les a créés, de ceux qui les ont possédés et offerts. Bref, notre musée n'est pas exemplaire si l'on entend par là qu'il n'enseigne pas l'histoire de l'art, mais il est bien davantage édifiant parce qu'il est sentimental. Nos collections se sont constituées au petit bonheur des dons pour conserver le précieux souvenir d'un être cher. Grenier, musée des familles, avec tout ce que cela comporte d'inattendu, de désordonné aussi, est un privilège qu'il convient d'entretenir. La loi-programme concernant les musées fut une manne providentielle qui nous a permis de retrouver suffisamment d'espace pour présenter enfin tant de chefs-d'œuvre que nous étions contraints de mettre en réserve mais il leur faudra une rotation constante pour suppléer encore au manque de place, car un musée n'est jamais fini, bien plus, il s'enrichit tous les jours au rythme du temps qui se fait. Le Grand Louvre sera peut-être la promesse pour le musée de tenir correctement son engagement jusqu'à l'an 2000. Les travaux étaient une tentation de s'affirmer, de faire plus moderne qu'il n'est séant, nous avons essayé d'éviter les travers de la mode —, et la muséologie n'y échappe pas — mais le vrai pari, l'enjeu suprême au-delà et malgré les transformations matérielles inévitables et souhaitables, c'est de se moquer des modes et des conformismes de toutes sortes, fussent-ils historiquement et administrativement fondés, de veiller jalousement à conserver cette frange irritante qui convient d'insécurité, voire de contestation indispensable, pour préserver le sentiment qui doit inspirer toutes choses, jusqu'au choix des œuvres dans un musée. C'est la seule manière de poursuivre notre tradition d'ouverture.

Souvent, quand je considère les travaux et les transformations actuelles du musée, je m'interroge sur ce qu'en aurait pensé Jacques Guérin si soucieux de maintenir l'ordre et la qualité de cette maison. J'imagine qu'il aurait eu un geste las d'acquiescement, estimant que finalement c'était une épreuve nécessaire pour la vie du musée. Son amour des objets aurait certainement accepté

9

des sacrifices momentanés mais il aurait souffert. Nous l'appelions George V à cause de sa petite barbe blanche, de son pantalon au pli impeccable, de son écharpe écossaise sur les épaules. Il connaissait par cœur avec leur généalogie les milliers d'objets qu'il avait tenus, pesés, étiquetés et chacun évoquait une anecdote, une famille. Bien souvent, il nous emmenait dans les salles et racontait les histoires mais il n'était pas question de prendre des notes, il aurait trouvé que c'était cuistre, de même que l'idée d'écrire ne lui était jamais venue, à moins que d'être entraîné par Alfassa et Nocq. Plusieurs fois par semaine lorsqu'il n'allait pas au Cercle, il attendait vers 16 h ses amis Koechlin, Carl Dreyfus et l'aventure commençait, la tournée des antiquaires avec une pause chez telle ou telle comtesse du noble Faubourg qui recevait ce jour-là. Il avait en mémoire un étonnant répertoire d'adresses qui représentaient un trumeau, un cartel, un fauteuil de Delannoy, autant de legs en perspective. Ainsi, relevé dans un testament : « Pour le Musée des Arts Décoratifs, ma commode signée Migeon, en souvenir de Jacques Guérin en reconnaissance de son assiduité à mon 3ᵉ vendredi du mois pendant quarante ans *(sic)*. » Les collections se constituaient à coups de fidélité et de cœur et qui saura jamais combien ces petits fours secs représentaient d'abnégation de la part du conservateur. Les temps ont changé, les méthodes aussi mais la générosité demeure active, plus diversifiée parce que l'idée que l'on a de la création est plus vaste, singulièrement plus ouverte. Peut-être aussi que s'impose une conception moins jalouse du patrimoine familial et que, pour le préserver, le sauver de l'oubli ou de la solitude, il faut l'offrir au musée des arts et traditions bourgeoises pour ceux qui sont dignes de le goûter. Ce seront nos chefs-d'œuvre de demain.

François MATHEY

Les chefs-d'œuvre

AQUAMANILE
première moitié du XIIIᵉ siècle

Saxe méridionale (?)

Oiseau fantastique dont la partie supérieure représente un buste d'homme tenant entre ses deux mains un tube servant de bec verseur.

Le corps de l'oiseau est gravé d'imbrications simulant le plumage. Une tête d'animal, entre les deux pattes, fait fonction de second déversoir.

L'influence orientale se fait sentir dans le rinceau feuillagé, en léger relief, ornant les ailes et la queue de l'oiseau qui se recourbe pour former l'anse et supporter l'orifice, à couvercle mobile, dans lequel on versait l'eau.

Ces aiguières pouvaient avoir les formes les plus diverses : griffons, chevaliers en armures, licornes...; on les utilisait surtout à chauffer l'eau au coin du feu.

Cuivre jaune
H. : 0,24 m. L. : 0,25 m
Legs Martin le Roy, 1929
Inv. 27132

CHÂSSE
milieu du XIIIe siècle

Limoges

Coffre parallélépipédique couvert d'un toit à deux rampants dont la crête ajourée est ornée de trois cabochons et d'une croix. Les figures sont réservées et les têtes traitées en léger relief se détachent sur des fonds d'émail bleu ou vert coupés par une bande horizontale bleu turquoise.

Le décor se divise en trois compartiments, au centre, le Christ en croix entre la Vierge et saint Jean et sur le rampant le Christ en majesté. De part et d'autre et sur chacun des pignons sont représentés les apôtres sous des arcatures en plein cintre.

Le revers est entièrement décoré de rosaces crucifères sur fond d'émail bleu dans un encadrement de croisettes.

Cette châsse est typique de la production limousine du milieu du XIIIe siècle par le décor, la technique de figures réservées puis dorées et par la gamme de couleur des émaux.

Émaux champlevés
H. : 0,23 m. L. : 0,205 m
P. : 0,087 m
Legs comtesse de Valencia
de Don Juan, 1918
Inv. 21132

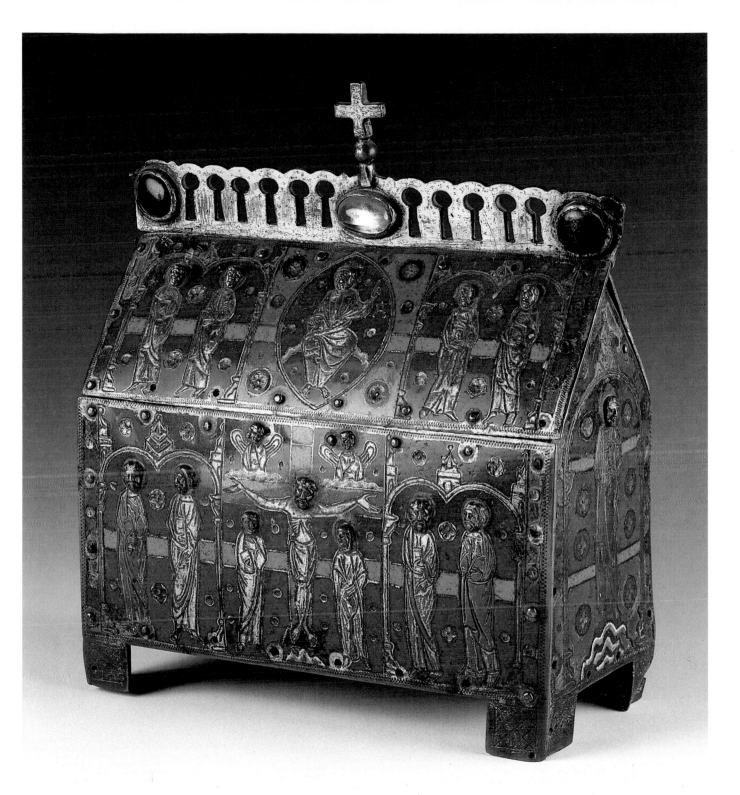

COFFRE A PENTURES
XIVe siècle

France

De construction massive, ce coffre est formé de planches de six centimètres d'épaisseur assemblées à tenons et mortaises et dont les pieds ont été découpés dans les planches des panneaux latéraux de la face et du fond. Seul l'assemblage du panneau central, composé de deux morceaux, est fait à joints vifs.

Des pentures, en fer forgé, fixées par des clous, ornent et consolident ce coffre que l'on peut rapprocher de celui conservé dans les collections du musée Carnavalet.

Elément important de la vie quotidienne, ces coffres tenaient lieu d'armoire ou de siège et servaient à entreposer, dans les nombreux déplacements, tentures, tapisseries et objets.

Chêne
H. : 0,89 m. L. : 1,65 m. P. : 0,79 m
Legs Peyre, 1905
Inv. Pe 982

DIPTYQUE DE LA PASSION
deuxième moitié du XIVᵉ siècle

France

Chaque volet est divisé en quatre registres séparés par des moulures ornées de rosettes.

Les scènes représentées sont : L'Entrée à Jérusalem, le Lavement des pieds, la Cène, le Jardin au pied du mont des Oliviers, l'Arrestation, la Flagellation, le Portement de Croix et la Crucifixion.

Malgré la densité de la composition, les silhouettes sont traitées avec beaucoup de précision et les draperies en soulignent les mouvements. Les visages, de profil ou de trois quarts ont des expressions différentes mais ne sont pas empreints de réalisme.

Ces objets de dévotion avaient la forme de diptyques, de triptyques ou de tabernacles à volets; celui-ci peut se rattacher aux ateliers des grands diptyques de la Passion dont le plus célèbre est celui dit « du Trésor de Soissons » conservé au Victoria and Albert Museum.

Ivoire sculpté
H. : 0,24 m. L. : 0,208 m (ouvert)
Legs Grandjean, 1910
Inv. Gr. 23

SCÈNE DE ROMAN
vers 1410-1415

Arras

Fait partie d'une suite de cinq tapisseries illustrant des scènes quotidiennes ou courtoises de la vie seigneuriale.

La composition, avec les personnages au premier plan et dans le lointain la présence d'architecture, n'est pas sans rappeler les scènes des miniatures du calendrier des *Très Riches Heures du duc de Berry* par les frères Limbourg (1411-1416).

Ici, les costumes, en particulier la houppelande du seigneur, au col serré, doublée de fourrure avec ses bordures dentelées et plus encore la simplicité de la coiffure de la jeune femme, son vêtement sans ceinture mais aux manches traitées comme de longues bandes tombant jusqu'au sol semblables à celles des parures féminines de la tapisserie *Le Geste de Jourdain de Blaye* (vers 1400, Museo Civico, Padoue), tous ces détails d'une mode vestimentaire peuvent nous faire dater cette œuvre des années 1410-1415.

Les touffes de fleurettes, un peu raides, les troncs d'arbres noueux, les feuilles de chêne, aux contours déchiquetés, posées à plat les unes sur les autres, la bande de ciel bleu sont caractéristiques de la production d'Arras; notons aussi la présence de fils d'or, détail de tissage qui ne fait que renforcer cette attribution, si l'on sait que cette ville en avait fait sa spécialité.

Laine, soie, métal (or);
5 fils de chaîne au cm
H. : 2,04 m. L. : 1,51 m
Hist. : Château de Canche, Bretagne
Legs Peyre, 1905
Inv. Pe 603

RETABLE DE SAINT JEAN-BAPTISTE
vers 1415-1420

Luis BORRASSA, vers 1360 - vers 1425

Dans un cadre sculpté, orné de rinceaux feuillagés entrecoupés d'armoiries (non identifiées), trois panneaux séparés par des colonnettes gothiques représentent, au centre, saint Jean-Baptiste et le calvaire, de part et d'autre les scènes de sa vie et de son martyre. A gauche, la vision de Zacharie, la Visitation, la naissance de saint Jean-Baptiste, et l'imposition de son nom; à droite, la prédication de saint Jean, le Baptême du Christ, le festin d'Hérode et le martyre de saint Jean-Baptiste.

Sur la prédelle, saint Pierre, saint André, la Vierge, le Christ au sépulcre, saint Jean l'Evangéliste, saint Jacques, saint Paul.

Ce retable fut attribué à L. Borrassa par Sempere Y Miquel, en 1906. On peut le comparer à celui commandé par les clarisses de Vich, en 1414 (Musée épiscopal); en effet, le martyre du saint peut se rapprocher du panneau où le roi Abgar reçoit l'image miraculeuse du Christ par les apôtres Simon et Jude.

Mais si l'on reconnaît sa main dans certaines scènes, les inégalités font penser à l'intervention de collaborateurs ou disciples. L. Borrassa est un des meilleurs représentants du « style gothique international » et de l'art catalan dans le premier quart du xve siècle.

Détrempe sur bois à fond d'or
H. : 3,10 m. L. : 2 m
Legs Peyre, 1905
Inv. Pe 123

PANNEAU A DÉCOR D'ARCHITECTURE
fragment

Attribué à Jan VAN EYCK, vers 1390-1441

Grâce à une étiquette manuscrite collée au revers, P. Quarré, conservateur du musée de Dijon, a pu identifier ce fragment et l'attribuer à Jan Van Eyck.

N. Verance-Verhaegen, en 1967, et G.T. Faggin, en 1968, confirment cette attribution.

Le prieur de la chartreuse de Champmol donna, en 1776, un tableau à F. Favier, ancien cuisinier et maître d'hôtel de monseigneur de Mérinville. Peintre amateur, Favier nous indique qu'il y avait « dans le milieu du portique une vierge tenant le saint enfant qui était peinte avec autant de soins et de propreté que le reste, cette pyramide servait de niche à l'image ». P. Quarré pense que la Vierge était représentée debout, en se référant au tableau du même peintre, *La Vierge à la fontaine*, conservé au musée d'Anvers.

Malheureusement, Favier découpa deux morceaux dans la partie supérieure et, en 1796, il les vendit à L.B. Baudot qui copia sur un papier les notes manuscrites et c'est ainsi que ce fragment fut identifié : « débris d'un tableau flamand d'une grande beauté qui servait de fond à l'une des chapelles des Ducs de Bourgogne aux Chartreux de Dijon ».

Dans ce décor architectural : pinacles, gables, galeries à claire-voie découlent de la fin du XIVe siècle alors que certains éléments, telles les colonnettes, datent encore de la fin du XIIIe siècle.

Des examens faits au laboratoire du musée du Louvre, en 1953, dévoilent que la gargouille a été repeinte; on sait par Favier qu'il fit lui-même des restaurations car « le tableau tombait en écailles, la couleur se détachant au moindre ébranlement ».

Si l'on prend, comme référence, *La Vierge et l'Enfant* attribué à Petrus Christus (Metropolitan Museum, New York), le tableau de la chartreuse de Champmol devait mesurer environ 80 centimètres de haut sur 33 centimètres de large.

Huile sur bois
H. : 0,32 m. L. : 0,15 m
Legs Peyre, 1905
Inv. Pe 2

COUPLE SOUS UN DAIS

vers 1460-1465

Tournai ? Bruxelles ?

Sous un dais d'où tombe une lourde draperie retenue par deux anges, une jeune femme, dans un parterre de tiges fleuries, arrose un pot de fleurettes avec une chantepleure; à ses côtés un jeune homme, à l'aide d'une baguette, joue avec un chien qui tient un os entre ses pattes. Les deux personnages sont richement vêtus, la gravité de leurs visages, leurs attitudes rappellent certains tableaux de Roger Van der Weyden. Dans une étude, S. Schneebalg-Perelman rapproche cette tapisserie de celle tissée à Bruxelles, en 1466, pour Philippe le Bon (Berne); on y retrouve le même esprit, les mêmes fleurettes. L'attribution à Tournai devrait donc être abandonnée pour un atelier de Bruxelles vers 1460-1465.

Laine, soie; 5 fils de chaîne au cm
H. : 2,45 m. L. : 1,92 m
Legs comtesse de Valencia
de Don Juan, 1918
Inv. 21121

LA RHÉTORIQUE
vers 1520

Tournai ? Bruges ?

Cette tapisserie représente un des sept arts libéraux, la Réthorique, sous les traits d'un personnage féminin tenant une couronne destinée à ceindre le front d'un jeune homme qui lit un parchemin déroulé, sous les regards attentifs d'érudits.

Par sa composition, le style des personnages, le décor intérieur, les coloris et le même petit chien, toutes ces analogies rapprochent cette tapisserie d'avec *L'Arithmétique* conservée au musée de Cluny que Wauters, historien de la tapisserie bruxelloise, attribue au peintre Gérard David, mort en 1523 à Bruges, en raison de l'inscription « D A V I . F » sur le pilier droit. Cette thèse serait renforcée par le fait que l'on trouve la lettre B retournée à la partie supérieure, ce qui pourrait symboliser la ville de Bruges.

Il faut toutefois remarquer que certaines lettres furent tissées à des fins purement ornementales, nous en avons ici un exemple dans le décor du carrelage.

Cette tapisserie a été mutilée à gauche, en haut et en bas; lors de la même vente, une inscription en français qui se trouvait à la partie inférieure a été adjugée séparément, mais tout laisse supposer qu'elle avait été raboutée.

Laine, soie; 5 fils de chaîne au cm
H. : 2,45 m. L. : 2,85 m
Don J. Maciet, 1905
Inv. 11836

COFFRE DIT « DES TRAVAUX D'HERCULE »

1546 gravé sur un cartouche sur l'arc en plein cintre gauche

France

Si la forme massive de ce coffre appartient encore au Moyen Age, le décor s'inspire, suivant l'engouement de l'époque, de scènes mythologiques. Sous quatre arcatures, sont représentés certains épisodes des travaux d'Hercule : Hercule et le géant Antée, Hercule et la biche de Cérynie, Hercule et le lion de Némée, Hercule et le brigand Cacus.

A chaque angle, des pilastres à chapiteaux composites; sur les côtés, à droite : Orphée et à gauche : Mars.

Les scènes sont copiées d'après des gravures italiennes et deux, Mars et Hercule terrassant le lion de Némée sur des plaquettes de Moderno, bronzier vénitien du début du XVIᵉ siècle.

Ces plaques ont inspiré le sculpteur qui réalisa le jubé de la cathédrale Saint-Etienne de Limoges dont le soubassement est orné de six bas-reliefs représentant les travaux d'Hercule. Cette commande avait été faite, en 1533-1534 par Jean de Langeac, évêque de Limoges, ambassadeur de François Iᵉʳ à Rome.

Noyer sculpté
H. : 0,80 m. L. : 1,61 m. P. : 0,64 m
Legs Peyre, 1905
Inv. Pe 1114

ARMOIRE A DEUX CORPS
deuxième moitié du XVIᵉ siècle

France

Si la structure des meubles reste très affirmée dans la seconde moitié du XVIᵉ siècle, la conception du décor subit l'influence des artistes italiens et celle de l'Antiquité classique. Colonnes, pilastres, chimères délimitent des panneaux sculptés, en bas-relief. Ici, au centre de la partie supérieure, une Victoire tenant une couronne de laurier et un rameau d'olivier et, à la partie inférieure, deux femmes nues dont l'une est accompagnée d'un cygne, animal que l'on retrouve sur les deux montants, évoquant peut-être la légende de Léda. Des rehauts d'or, des plaques de marbre viennent renforcer ce goût du décor.

Le fronton à double rampant est interrompu par une niche accostée de deux volutes et ornée d'un saint Michel terrassant le dragon.

L'évolution du meuble est le reflet de celle de l'architecture et n'est pas sans rapport avec les nouvelles décorations intérieures de Fontainebleau. Cette armoire est caractéristique et s'intègre dans le développement des châteaux de l'Ile-de-France.

Noyer sculpté, partiellement doré, marbre
H. : 1,79 m. L. : 1,51 m. P. : 1,11 m
Legs E. Moreau-Nélaton, 1927
Inv. 25886

LE CHRIST JARDINIER

début du XVIIe siècle

Jan I Brueghel, dit de Velours, 1568-1625
Hendrick Van Balen, 1575-1632

Reconnu récemment comme une œuvre originale jusqu'à présent peu remarquée, ce tableau résulte de la collaboration de deux artistes : c'est à Brueghel de Velours, fils de Pierre l'Ancien, que revient le paysage si caractéristique, tandis que les deux personnages principaux sont dus à Van Balen, peintre anversois, ayant séjourné en Italie entre 1593 et 1602. Le thème iconographique appartient au Nouveau Testament : le Christ ressuscité apparaît à Marie-Madeleine qui, voyant en lui un jardinier, le supplie de rendre le corps de Jésus; à l'arrière-plan, saint Jean et les Saintes Femmes se rendent au tombeau. L'interprétation de cet épisode de la vie du Christ sert ici de prétexte à Brueghel pour dépeindre avec autant de minutie que de fraîcheur et de poésie un jardin paradisiaque où croissent rosiers, lys, iris, fritillaires... en compagnie de cochons d'Inde, de paons, de tadornes, d'une outarde et autres volatiles. A l'arrière-plan un château à hautes toitures n'est pas sans évoquer celui de Mariemont, alors résidence des archiducs Albert et Isabelle, au service desquels travaillait Brueghel.

Huile sur bois
H. : 0,940 m. L. : 0,930 m
Legs Grandjean, 1910
Inv. Gr 837

VASE

début du XVIIe siècle

Nevers

Ce n'est guère avant la fin du XVIe siècle que l'on assiste à la naissance définitive d'une faïence française. Celle-ci est à ses débuts inséparable de la majolique italienne, puisque ses initiateurs, établis à Lyon, Nîmes ou Nevers, n'étaient autres que des faïenciers italiens. Ces derniers acclimatèrent en France un art en tout point semblable à ce que produisait Urbino plus particulièrement. A Nevers même, une équipe d'Italiens francisés, Jules Gambin, les frères Conrade, furent les fondateurs de fabriques durables et promises à un riche avenir. La production nivernaise continue à ses débuts l'imitation de la tradition urbinienne du style *a istoriato*, caractérisé par l'usage de scènes historiées polychromes souvent inspirées de gravures contemporaines. Très vite, des innovations apparurent, tel l'usage du violet (de manganèse) inconnu à Urbino ou celui des fonds « bleu ondé ». L'un et l'autre sont présents dans ce vase dont le décor polychrome se compose de petits paysages agrémentés de constructions diverses, tandis que sur la panse sont figurées des créatures fabuleuses de la mythologie : amour sur un capricorne, faune, faunesse, tritons, centaure, etc.

Faïence de grand feu
H. : 0,46 m. D. : 0,226 m
Legs Grandjean, 1910
Inv. Gr 189

FAUTEUIL
deuxième moitié du XVIIᵉ siècle

Une entretoise à la structure complexe, des pieds en consoles reposant par l'intermédiaire de cubes sur des sabots godronnés, des accoudoirs incurvés et terminés par des enroulements constituent les éléments les plus remarquables de ce fauteuil. Si la structure en demeure très architecturée, le décor n'en est pas moins classique dans son répertoire : godrons, acanthes, fleurons. La ceinture du siège, pas plus que le dossier, ne sont pourvus de bois apparent, tandis que les accoudoirs ne sont pas garnis d'étoffes; cependant, on notera que le dossier élevé est incurvé au niveau de sa traverse supérieure. Toutes ces caractéristiques permettent de situer ce siège à la fin du règne de Louis XIV, période où la technique du bois sculpté et doré acquiert dans le mobilier une importance nouvelle.

Noyer sculpté et doré, hêtre
H. : 1,13 m. L. : 0,66 m. P. : 0,73 m
Legs Peyre, 1905
Inv. Pe 707

PLAT ROND

XVIIe siècle

Moustiers, fabrique de Clérissy

C'est au cours du dernier tiers du XVIIe siècle que les faïenceries de Moustiers (Basses-Alpes) prirent leur essor, grâce à l'activité de la nombreuse famille des Clérissy, également représentée à Marseille. La fabrique fondée en 1679 par Pierre I Clérissy produisit tout d'abord des pièces en camaïeu bleu reflétant les gravures des XVIe et XVIIe siècles. L'apparition au début du XVIIIe siècle des décors de grotesques, dits à la Bérain, du nom de l'ornemaniste Jean Bérain (1640-1711), un de leurs principaux propagateurs par ses dessins et gravures, marque la naissance d'un style parfaitement original. L'usage des couleurs n'évolue pas sensiblement puisque le bleu reste d'un usage quasiment exclusif.

Le marli du plat présente un décor de lambrequins d'un esprit nettement rouennais; en revanche, le fond à sujet historié relève d'une tradition dont les origines remontent à la majolique italienne; dans un médaillon circulaire est représentée une chasse à l'autruche. De telles compositions furent abondamment traitées par les Clérissy et s'inspirent généralement de modèles gravés, notamment par le Florentin Tempesta (1655-1737) dont on reconnaît ici le style caractéristique.

Faïence de grand feu
D. : 0,930 m
Legs Abram
Inv. 25029

CABINET EN ARMOIRE
vers 1680

Dans sa forme et sa structure, ce meuble à deux corps appartient à un type apparu au cours de la deuxième moitié du XVIIe siècle. Tandis que la partie basse, plus large, ferme à deux vantaux et comporte deux tiroirs de ceinture, la partie supérieure, légèrement en retrait, se partage en trois zones verticales; de part et d'autre, se superposent cinq tiroirs; au centre, un motif de tabernacle avec frontons et pilastres corinthiens est pourvu d'une porte qui dégage un casier soigneusement marqueté de bois divers; fronton et stylobate dissimulent encore deux tiroirs. L'ensemble est couronné d'un entablement avec architrave bombée et corniche. La technique de marqueterie associant l'étain et le bois d'amarante se retrouve fréquemment sur des meubles du dernier tiers du XVIIe siècle; elle ne constitue en réalité qu'une variante plus austère de la marqueterie « Boulle » de cuivre, étain et écaille. Exécutée selon le même procédé de découpage simultané des matériaux, elle permettait de réaliser le placage de deux meubles en contrepartie l'un par rapport à l'autre. Les motifs décoratifs ici utilisés : rinceaux, entrelacs, broderies, etc., appartiennent au répertoire ornemental habituel des meubles de style Boulle de la fin du XVIIe siècle et du début du XVIIIe siècle.

Bois de chêne et de sapin; marqueterie de bois d'amarante sur fond d'étain; à l'intérieur : placage de bois de cèdre, d'amarante, de palissandre, de sycomore, de satiné; bronze doré.
H. : 2,02m. L. : 1,28 m. P. : 0,53 m
Achat, 1953
Inv. 38042

L'OFFRANDE A PAN
début du XVIIIᵉ siècle

Carton de J.-B. MONNOYER, 1634-1699
Manufacture de Beauvais, direction de Ph. BEHAGLE

Lorsque Ph. Behagle prit la direction de la manufacture de Beauvais, en 1684, il dut faire face à une situation désastreuse. Marchand-tapissier d'Oudenarde, installé ensuite à Tournai, Ph. Behagle possédait toutes les qualités requises pour renflouer la manufacture.

Il créa une école de dessin et mit sur le métier une série de tentures qui marque sa direction comme une des plus fécondes; elle devait s'achever en 1704.

Parmi ses plus belles réalisations figurent la suite de Grotesques à fond jaune ou tabac d'Espagne comprenant six pièces : *Les Musiciens, Les Dompteurs, Les Dromadaires, L'Eléphant, l'Offrande à Bacchus* et cette *Offrande à Pan*. Grâce aux recherches de R.A. Weigert, nous pouvons retracer l'histoire de cette tenture, remise sur le métier jusqu'en 1725 et dont il existe près de 150 pièces présentant quelques variantes dans la composition, les bordures, les dimensions et la qualité de tissage.

Si l'on ne peut nier l'empreinte de Jean 1ᵉʳ Bérain dans l'esprit qui se dégage de ces compositions, les cartons sont de J.-B. Monnoyer, peintre de fleurs aux Gobelins qui les dessina avant 1689.

Dans cette *Offrande à Pan*, guirlandes, corbeilles de fleurs et de fruits ponctuent les éléments d'architecture et se fondent aux grotesques et personnages de la comédie italienne.

Laine, soie; 8 fils de chaîne au cm
H. : 3,05 m. L. : 3,20 m
Achat à M. Welghe, 1907
Inv. 14248 bis.

FAUTEUIL A LA REINE
vers 1720

Le fauteuil repose sur quatre pieds cambrés agrémentés de rocailles, d'enroulements et de feuilles d'acanthe, tandis qu'à l'épaulement, un cartouche renferme une palmette. La traverse antérieure, galbée et chantournée, ornée de rocailles et de mosaïques, offre, à sa partie médiane, une palmette ajourée; aux traverses latérales, sont sculptées des coquilles; les trois faces principales de la ceinture sont bordées d'une moulure de joncs à agrafes feuillagées. Les accotoirs, vigoureusement mouvementés, sont enrichis de rocailles, feuillages et branches fleuries. Plat, le dossier présente quatre traverses chantournées, moulurées en faisceau de joncs à agrafes de feuillages; un cartouche rocaille ajouré et accompagné de palmes marque le centre de la traverse supérieure. Monté « à chassis » amovibles, ce qui permettait d'en varier la garniture selon les saisons, le fauteuil présente aux accotoirs une disposition peu commune : de manière à être, elles aussi, amovibles, les manchettes sont lacées d'un cordon passant dans des orifices percés à cet effet sous les bras. Par ses dimensions imposantes, l'élégance racée de son dessin et l'exceptionnelle qualité de sa dorure et reparure toujours éblouissantes, bien que ruinées, ce siège conserve encore une majesté toute louis-quatorzième; cependant, dans la composition générale comme dans le décor sculpté, un goût nouveau se fait sentir : l'épanouissement du rocaille est imminent. Le fauteuil est garni d'un lampas jaune et aurore de l'époque de la Régence.

Bois de hêtre sculpté et doré
H. : 1,120 m. L. : 0,810 m
P. : 0,860 m
Don Rodolphe Kahn, 1888
Inv. 4563

TABLE EN CONSOLE
premier quart du XVIIIe siècle

France

De forme rectangulaire à angles arrondis, la ceinture, moulurée et chantournée, présente, sur un fond de mosaïque, un décor de palmes, de rinceaux et de branches fleuries; au centre de la face principale, un large cartouche porte un masque de satyre; sur les faces latérales, d'autres masques de satyres plus petits sont placés dans des coquilles. Reposant sur des sabots de boucs, les quatre pieds, en forme de consoles, enrichis de palmes, de fleurons, d'acanthes et de compartiments « brettés », s'évident à leur partie supérieure en une cavité dans laquelle se logent quatre dragons ailés dont les queues s'entortillent autour des montants. Sur l'entretoise, en X, dont les traverses forment des enroulements, sont posés quatre dragons dont la fureur semble dirigée vers le motif central de la composition : un socle circulaire moduré, entouré d'oves et de godrons creux semble destiné à recevoir une porcelaine.

On notera de quelle manière audacieuse et surprenante la structure du meuble, parfois mouvementée jusqu'aux limites de la stabilité, aux épaulements ajourés des pieds par exemple, ne nuit en rien à son équilibre et à sa puissance. Par son esprit prérocaille nuancé de baroque, la table caractérise tout à fait les recherches et les expériences de l'extrême fin du règne de Louis XIV et de la Régence; l'influence des dessinateurs tels qu'Oppenordt, Vassé ou Pineau se fait ici sentir. A la virtuosité de la conception et de la sculpture, répond l'exceptionnelle qualité de la dorure, dont la reparure nerveuse et fouillée évoque encore la ciselure des meubles d'argent.

La table, qui proviendrait du château de Chenonceaux avait peut-être pour pendant celle, presque identique, que conserve le musée de Toledo (États-Unis).

Bois sculpté et doré, marbre rouge rance
H. : 0,850 m. L. : 1,670 m
P. : 0,770 m
Legs Mme Lionel Normant, 1928
Inv. 26546

POT A OILLE
vers 1730

Manufacture de Saint-Cloud

Inventée à Rouen par le faïencier Poterat dès la fin du XVIIᵉ siècle, la porcelaine artificielle, dite porcelaine tendre, obtenue sans kaolin, connut un brillant essor grâce à l'activité de la manufacture fondée à Saint-Cloud vers 1696 par Chicanneau auquel succéda Henri Trou. Après une première période caractérisée par l'influence de la faïence de Rouen dans les décors bleu et blanc, la fabrique s'oriente, à partir de 1720, vers l'imitation des porcelaines de la Chine (« blancs ») et du Japon (décors polychromes). La forme générale du pot à oille très simple reflète encore l'influence de l'orfèvrerie contemporaine, en particulier dans les godrons soulignant le bord du couvercle, le col et le pied du pot. La graine, constituée d'un bouquet stylisé, rappelle les blancs de Chine. Les anses, figurées par des têtes de monstres, reflètent plus librement les modèles orientaux. Le riche décor polychrome figurant des personnages orientaux, des griffons ainsi que des oiseaux perchés sur des arbres fleuris, interprète habilement les porcelaines japonaises « Kakiemon », dans des tons très vifs : rouge, bleu, vert, jaune, soulignés de noir, caractéristique de Saint-Cloud, dont le style, en dépit de ses ambitions imitatives, sut rester original.

Un pot à oille semblable à celui-ci est conservé à Londres au Victoria and Albert Museum.

Porcelaine tendre
H. : 0,225 m. L. : 0,31 m
Sans marque
Don Fitzhenry, 1906
Inv. 12740

ASSIETTE PLATE
vers 1730

Manufacture de Chantilly

Le goût passionné d'un prince de Condé pour les porcelaines orientales, ainsi que ses échecs politiques, furent à l'origine de l'essor de la Manufacture de Chantilly. Louis-Henri de Bourbon (1629-1740), premier ministre de Louis XV en 1723, puis victime de l'hostilité du cardinal de Fleury, dut s'exiler sur sa terre de Chantilly en juin 1726. En fait, la manufacture semble avoir été fondée dès 1725, mais les loisirs forcés du prince la favorisèrent considérablement. La direction en fut confiée à Sicaire Cirou qui avait probablement travaillé à Saint-Cloud. Née pour satisfaire le goût de son protecteur pour la céramique orientale, la fabrique se consacre dès ses débuts à l'imitation de celle-ci. Réalisée sans kaolin, la porcelaine tendre de Chantilly possède une particularité technique remarquable : un émail opaque à l'étain, semblable à celui de la faïence dissimule la couleur citronnée de la pâte peu satisfaisante et permet de retrouver la blancheur souhaitée. Cette assiette ainsi qu'une autre conservée au Victoria and Albert Museum à Londres auraient fait partie, selon une tradition, du service du prince; ceci expliquerait le rôle important joué par l'or, généralement assez rare à Chantilly. Le décor japonais à l'ocre, figurant des dragons, des entrelacs et un combat de coqs, a également inspiré Meissen (Saxe); il est ici appliqué avec une virtuosité éblouissante.

Porcelaine tendre
D : 0,245 m
Marques : cor de chasse en creux,
cor de chasse et lettre B en or
Don Metman, 1905
Inv. 11995

PLATEAU

vers 1730

Rouen

Peintes en camaïeu bleu dans un médaillon ovale en réserve, les armoiries sont celles de Guy-Michel de Durfort, duc de Lorges et de Randan (1704-1773), maréchal de France en 1768, et de sa femme Elisabeth-Philippine de Poitiers (née en 1715). Leur union ayant été célébrée en 1728, le plateau est nécessairement postérieur à cette date. Guy de Durfort était par ailleurs le neveu de la duchesse de Saint-Simon, née Lorges, épouse du mémorialiste, dont un plateau très proche de celui-ci porte les armoiries (Paris, musée du Petit Palais, coll. Dutuit), et est également postérieur à 1728. Le décor réalisé en polychromie de grand feu dans les couleurs rouge, bleu, vert et jaune, est caractéristique de la phase finale du style rayonnant : des motifs de broderie quadrillés alternent avec des guirlandes de fleurs et des vases contenant des bouquets; la bordure de fleurs et de grenades rappelle le style de Claude Borne.

Faïence de grand feu
L. : 0,545 m. l. : 0,39 m
Sans marque
Don Doistau, 1922
Inv. 23030

CARTEL D'APPLIQUE
vers 1733

Charles CRESSENT, ébéniste à Paris, 1685-1768

Petit-fils et fils de sculpteurs de la ville d'Amiens, Charles Cressent avait reçu lui-même une formation de sculpteur et c'est en tant que tel qu'il fut reçu maître à l'Académie de Saint-Luc à Paris en 1714. A cette époque, la sculpture jouait un rôle important dans le mobilier d'ébénisterie, par l'intermédiaire des bronzes dorés dont Boulle avait créé et créait encore les plus beaux exemples. C'est donc assez naturellement que Cressent se tourna vers l'ébénisterie, à la faveur de ses liens avec Joseph Poitou, ébéniste travaillant pour le Régent. Poitou étant mort en 1718, Cressent épousa sa veuve et prit en main son atelier. Dès lors, attaché au duc d'Orléans, il occupe le premier rang dans l'ébénisterie parisienne. Bien qu'elle ne soit jamais signée, sa production nous est bien connue grâce aux procès répétés que lui intentèrent les fondeurs ainsi que par les catalogues de ventes de plusieurs grandes collections du XVIIIe siècle, y compris les siennes, où sont décrites certaines de ses œuvres. La qualité sculpturale des bronzes de Cressent ainsi que leur importance confèrent à ses œuvres un ton qui n'appartient qu'à lui; très marqué par la rocaille, son style ne renonce cependant jamais à la monumentalité. Outre de nombreux meubles tels que bureaux, armoires, médailliers, commodes, Cressent produit des cartels d'appliques en assez grand nombre, dont T. Dell a retracé l'évolution et pour lesquels il propose une classification en cinq types. C'est ainsi que le cartel ici exposé appartient au modèle le plus ancien, le seul dont la composition reste symétrique. La pendule surmontée d'un amour tenant une faux est agrémentée sur ses faces latérales de marqueterie « Boulle » de cuivre sur écaille et repose sur un socle d'un style plus tourmenté, comportant un mufle de lion et deux dragons. Un cartel semblable, au cadran signé Audinet, figure dans la collection Grog (Louvre). Un second, dont le cadran est signé Baillon, pourvu d'un socle différent, avec figure de Borée, se trouve à Versailles dans la chambre de la Reine, dont il provient peut-être, comme semble le prouver la description du cartel enregistré par le Garde-Meuble royal en février 1745. Il est désormais établi que le modèle de ces cartels avait été imaginé par Cressent à la demande du roi Jean V de Portugal, comme en témoigne, en 1733, le procès-verbal de la saisie ordonnée dans son atelier par la corporation des doreurs-ciseleurs.

Bronze doré, bois, cuivre, écaille
Mouvement signé « Guiot Paris »
H. : 1,30 m. L. : 0,45 m
Legs Grandjean, 1910
Inv. Gr 139

FONTAINE
vers 1750

Manufacture de Mennecy

Dès 1734, François Barbin produisit à Paris, rue de Charonne, de la porcelaine tendre. Le duc de Villeroy (1695-1766), qui lui avait accordé sa bienveillance, l'autorisa en 1738 à installer une fabrique de faïence au château de Villeroy, près de Mennecy (Essonne). En 1745, Barbin transféra ses ateliers de porcelaine de la rue de Charonne à Mennecy. Rapidement, la fabrique, désormais exclusivement consacrée à la porcelaine tendre, devint une des plus importantes de France. Jusque vers 1750, Mennecy produisit surtout des imitations de porcelaines orientales. Après 1750, le goût européen s'impose, la production se fait plus française, interprétant d'une manière originale les modèles de Meissen et de Vincennes. Le décor de la fontaine, constitué d'un dauphin, de roseaux et d'une guirlande de fleurs à la fois en relief et en polychromie, permet de la dater de cette dernière période durant laquelle la statuaire émaillée polychrome connut à Mennecy un développement considérable. La pâte, d'une blancheur moins éclatante que celle de Saint-Cloud, s'apparente à celle de Chantilly. La fabrique transférée en 1773 à Bourg-la-Reine ne disparut qu'en 1806.

Porcelaine tendre
H. : 0,33 m. D. : 0,15 m
Marque : D.V. en creux
Don Thierry Délicourt, 1937
Inv. 33058

CAFETIÈRE
vers 1753-1754

Antoine BAILLY, maître orfèvre à Paris en 1746, mort en 1765

De forme tronçonique évasée, la verseuse repose sur trois pieds fondus et rapportés, figurant des plants de caféier (?), dont les ramifications s'étendent sur toute la surface de la panse, constituant ainsi un décor en fort relief, appliqué, complété par endroits par des motifs ciselés. Le bec, rapporté, est formé par des feuillages et des rocailles. L'encolure moulurée est soulignée par des enroulements rocaille ciselés sur fond amati. Dans un manchon latéral, en forme de balustre, enrichi de feuilles, de rocailles et de joncs enrubannés, est vissé un manche en bois d'amarante tourné et côtelé. Le couvercle, monté à charnière, est bordé de joncs enrubannés et coiffé de feuillages et de fruits fondus et appliqués.

Argent, bois d'amarante
H. : 0,160 m. L. : 0,175 m.
l. : 0,090 m
Poinçons : maître (AB, un triangle);
maison commune, Paris, 1753-1754

(N couronné); charge et décharge, Paris, 1750-1756
Don Robert Heine, 1949
Inv. 36166

PLAT
1754

Manufacture de Vincennes

En 1738, deux anciens artisans de la fabrique de Chantilly, les frères Robert et Gilles Dubois offrirent leur service à l'intendant des Finances Orry de Fulvy ainsi qu'à son frère Orry de Vignori, contrôleur général des Finances, que la fabrication de la porcelaine intéressait vivement. Après la venue de François Gravant, ayant lui aussi travaillé à Chantilly, les laborieuses recherches, qui avaient pour cadre le donjon de Vincennes, aboutirent à la mise au point d'une pâte tendre. Le roi, stimulé par Mme de Pompadour, devait, par l'intérêt qu'il portait au jeune établissement, lui assurer un destin exceptionnel. Une compagnie privée ayant été constituée dès 1745, la manufacture fut déclarée royale en 1753. La production demeure d'abord sous l'influence de l'Orient et de Meissen, jusque vers 1750, date vers laquelle un style original est créé, qui se définit par l'usage de l'or et des fonds colorés, le naturalisme des décors peints d'inspiration végétale, animale ou humaine.

D'après un dessin conservé à la Manufacture de Sèvres, la forme de ce plat est de l'invention de Duplessis. Tandis que le bord du plat est recouvert d'un bleu céleste éclatant, un décor floral polychrome d'une virtuosité éblouissante dû au décorateur Boucher (actif entre 1754 et 1762), se détache sur le fond blanc et occupe trois réserves somptueusement bordées d'or. Tout permet d'y reconnaître un des vingt-huit plats d'entrée et d'entremets livrés à Louis XV le 31 décembre 1755.

Quelques-unes des 1 500 pièces du service royal se retrouvent aujourd'hui dispersées dans plusieurs collections publiques ou privées.

Porcelaine tendre
D. : 0,318 m
Marques peintes : LL,B un point;
un oiseau : Boucher
Marque en creux : C; une croix
Legs Grandjean, 1910
Inv. Gr 218

PAIRE DE FLAMBEAUX
1754-1755

François-Thomas GERMAIN, 1726-1791, maître orfèvre à Paris en 1748

Dernier représentant d'une illustre lignée d'orfèvres parisiens attachés à la couronne depuis le règne de Louis XIV, François-Thomas Germain, à la mort de son père Thomas, en 1748, lui succède comme orfèvre et sculpteur du roi. En même temps qu'il obtenait la maîtrise par privilège, il reprenait le logement et l'atelier paternels aux galeries du Louvre. Durant plusieurs années, il perpétua, amplifia même, l'activité qui avait été celle de Thomas Germain au service des cours européennes : Versailles, Lisbonne, Saint-Pétersbourg. Si sa production ne montre pas toujours le même génie inventif que celle de son prédécesseur, elle conserve une très haute qualité et est plus abondante encore, grâce à l'organisation et à l'ampleur presque industrielles qu'il conféra à son atelier. Sur ce dernier point, ses audaces, sans doute prématurées, lui furent fatales : il fut déclaré en faillite en 1765; dès lors, son activité semble s'être considérablement réduite. Les flambeaux, d'un dessin relativement mouvementé, sont décorés de coquilles, d'enroulements, de canaux rayonnants, d'acanthes et de guirlandes de fleurs au naturel. Des flambeaux semblables, du même orfèvre, sont conservés à Lisbonne au musée d'Art ancien; d'autres sont dus à Louis-Joseph Lenhendrick (Lisbonne, musée d'Art ancien; Faith Dennis, 1960, n° 224) ou bien à Guillaume-Alexis Jacob.

Le modèle qui n'en est donc pas unique est généralement attribué à Thomas Germain. On sait en effet que François Thomas avait hérité les modèles de son père et s'en est souvent servi.

Argent
H. : 0,305 m. L. : 0,165 m
Poinçons : maître (FTG, une toison); maison commune, Paris, 1714-1755 (O couronné); charge, Paris, 1750-1756 (une tête de bœuf); décharge des ouvrages allant à l'étranger, Paris, avant 1775 (une vache); poinçon hollandais, XVIIIe s.
Legs Mme Louis Burat, 1929
Inv. 26883

PLAT

vers 1755

Sceaux, fabrique de Chapelle

Les innovations techniques dues au Strasbourgeois Hannong en 1748 ainsi que l'essor des porcelaines françaises à la même époque, particulièrement celles de Vincennes, devaient définir les caractères essentiels de la production faïencière de Sceaux, où une fabrique apparaît en 1748. En effet, la technique de cuisson au petit feu permit au faïencier Jacques Chapelle de produire une faïence presque aussi parfaite que la porcelaine tendre contemporaine, qu'il s'efforça d'imiter à défaut de pouvoir en produire, comme le lui interdisait le privilège de Vincennes. Certains de ses collaborateurs venaient de Strasbourg, tels Jean Roth ou le sculpteur Jean-Louis, d'autres de Vincennes, comme Gilles Dubois ou le sculpteur Chanou. Sa production conserva longtemps un ton fortement rocaille. Le décor peint, utilisant des motifs d'oiseaux ou de fleurs, bénéficia de la présence de peintres venus de la Manufacture de porcelaine de Sèvres. La fabrique, qui jouit par la suite de la protection du duc de Penthièvre, haussa la technique de la faïence à un tel degré de qualité et d'habileté technique, qu'on peut y voir son apogée mais aussi son chant du cygne. Le décor de ce plat témoigne de l'esprit inventif et original de Chapelle; sur le fond, sont peintes avec une grande habileté des fleurs diverses : couronne impériale, giroflée, tulipe, rose, myosotis; au bord, la découpe irrégulière du marli correspond à une guirlande de feuilles de chêne. La richesse de la polychromie s'oppose avec une grande réussite à la blancheur éclatante de l'émail. Plusieurs assiettes des musées de Sèvres et des Arts Décoratifs ont pu appartenir au même service que ce plat.

Faïence de petit feu
L. : 0,48 m. l. : 0,36 m
Don Lion, 1925
Inv. 24967

POT A OILLE ET PLATEAU
1755-1756

Étienne Jacques MARCQ, vers 1705-1781, maître orfèvre à Paris en 1732

Étienne Jacques Marcq, après avoir été apprenti chez François de Genes vers 1720, exécuta son chef-d'œuvre le 30 mars 1730 chez Jean Leblanc, place Baudoyer, sur la paroisse de Saint-Gervais. C'est le 18 juillet 1732 qu'il fait insculper son poinçon. Le pot à oille, l'œuvre la plus importante que nous connaissions de lui, est caractéristique de l'assagissement du style rocaille durant les années 1750. Si les formes restent mouvementées, on n'en remarque pas moins une tendance très nette à la symétrie, dans le dessin et la disposition des ornements. Le plateau, bordé de faisceaux de joncs enrubannés, est porté par quatre pieds et décoré de quatre cartouches rocaille, de coquilles et de feuillages. Le pot à oille, qui a conservé sa doublure intérieure, repose sur quatre pieds constitués d'enroulements d'acanthes, de même que les deux anses; sur chaque face, un cartouche gravé d'un lion est surmonté d'une couronne ducale; l'encolure est cerclée de joncs enrubannés. Sur le couvercle à canaux tors rayonnants se dresse, en guise de graine, une grenade éclatée.

Argent
Pot : H. : 0,295 m. D. : 0,255 m
Plateau : D. : 0,415 m
Poinçon : maître (JEM, un marc); maison commune, Paris, 1755-1756

(P couronné); charge et décharge, Paris, 1750-1756
Legs Mme Louis Burat, 1929
Inv. 26864

SAUCIÈRE
1756

Manufacture de Vincennes

La qualité exceptionnelle de la production de la Manufacture de Vincennes ne réside pas seulement dans son décor peint mais aussi dans la virtuosité avec laquelle les formes les plus complexes ont pu être réalisées. Pourtant, constituée d'un mélange empirique de cristal minéral, de sel, d'alun, de soude, de gypse, de sable, de blanc d'Espagne et de terre d'Argenteuil, la pâte tendre, d'un travail difficile, était médiocrement plastique. La Manufacture de Sèvres conserve le modèle original, en terre cuite, pour cette saucière dont la forme a été baptisée au début du XIXᵉ siècle « saucière rocaille » et dont un exemplaire identique a été donné au Louvre par A.-J. de Noailles. Rarement l'audace fut poussée plus loin par les porcelainiers et avec autant de réussite : la forme générale, asymétrique et déchiquetée, semble figurer un effet de vague dont l'éclaboussement est rehaussé par des peignés bleus soulignés d'or, des végétaux vert brun, un corail rouge vif. Jean-Claude Duplessis (1690-1774) dont la saucière porte souvent le nom en est sûrement l'inspirateur; dessinateur, bronzier, orfèvre du roi, Duplessis travaille comme dessinateur à la Manufacture de 1745 environ à 1773; les modèles qu'il dessina traduisent volontiers des formes propres au métal.

Porcelaine tendre
L. : 0,26 m. l. : 0,194 m
H. : 0,119 m
Marque peinte : LL D
Achat, 1924
Inv. 24047

SECRÉTAIRE « EN PENTE »
vers 1750-1760

Réputé pour avoir appartenu à Mme de Pompadour, c'est à sa provenance illustre plus qu'à sa qualité pourtant parfaite que ce petit meuble doit sa célébrité. Or, son origine ne nous est pas clairement connue. Si la marque BV correspond sans aucun doute au château de Bellevue, la présence d'une couronne fermée prouve qu'elle a été apposée alors que cette résidence était devenue royale. On sait en effet que Bellevue, construit en 1748 pour Mme de Pompadour, fut vendue par elle au roi en avril 1757, avec une partie de son mobilier. Six ans plus tard, en avril-mai 1763, fut dressé l'« Etat général des meubles du château de Bellevue, dont partie achetée par le roi avec ledit château et partie fournie depuis led-Achapt par le Garde-Meuble de la Couronne... » (Arch. nat., *Journal du Garde-Meuble*, 01/3317, fol. 202-254); il est facile d'y retrouver dans le chapitre ébénisterie le secrétaire auquel était attribué le numéro 3 (fol. 238 V°) : « Un secrétaire de bois verni bleu et or à figures et fleurs de laque de la Chine et bordure aventurine orné de boutons et chaussons de bronze doré d'or moulu. Le devant fermant à clef s'abat et forme une table couverte de velours bleu encastré, le dedans de bois satiné à placages, garni d'une trappe à coulisse et trois tiroirs dont un du côté droit, contient un encrier, poudrier et boëte à éponge de cuivre argenté. Long de 24 pouces, sur 14 pouces de large et 32 pouces de haut. » Le velours a été depuis remplacé par un cuir, tandis que le placage intérieur est en fait réalisé non en satiné mais en prunier et amarante; pour le reste, le meuble est aujourd'hui tel qu'il fut décrit en 1763, jusqu'à son écritoire en bronze argenté, dont les deux éléments conservés sont marqués du C couronné. Le secrétaire fit-il partie des meubles apportés par le roi à Bellevue à partir de 1757 ? Il est plus vraisemblable, comme le pensa P. Biver, qu'il se trouvait déjà au château quand Mme de Pompadour en était propriétaire. La marquise avait en effet la passion des meubles en laque, qu'elle achetait chez le marchand mercier Duvaux; malheureusement, le journal de ce dernier ne contient aucune mention qui puisse se rattacher à ce meuble, que, du reste, Mme de Pompadour aurait fort bien pu se procurer chez son confrère Hebert. Nous ne savons pas dans quelles pièces de Bellevue le meuble figura mais il se retrouve en 1786 dans la chambre de la première femme de chambre de Madame Adélaïde.

Témoin de la vogue de l'Extrême-Orient dans le mobilier, ce secrétaire est un parfait exemple de ces imitations de laque dont les frères Martin passent pour les plus grands spécialistes mais que certains ébénistes tels Criaerd pratiquaient aussi avec bonheur.

Bois de noyer et de tilleul, laque bleue, or, aventurine, rouge; placage de bois de prunier et d'amarante; bronze doré, bronze argenté; moire et papier bleu
H. : 0,875 m. L. : 0,70 m
P. : 0,43 m

Marque au fer : BV, sous une couronne fermée;
marque peinte : n° 3
Don David-Weil, 1937
Inv. 32636

VASE POT-POURRI « URNE A FACETTE »
1759

Manufacture de Sèvres

L'intérêt grandissant de Louis XV pour la Manufacture de Vincennes, trop éloignée de Versailles, fut la cause de son déménagement. Sèvres, situé à mi-chemin entre Versailles et Paris, à proximité de Bellevue, château de Mme de Pompadour, offrait un emplacement idéal. Envisagé dès 1753, le déménagement fut réalisé par étapes durant l'année 1756. Cependant, cette transplantation ne marque aucune rupture de style dans la production de la Manufacture qui devient l'entière propriété du roi, le 17 février 1760.

Le vase « urne à facette » dont le nom n'apparaît qu'au XIXe siècle est destiné à l'usage de pot-pourri comme en témoignent ses parties ajourées. Sa silhouette sinueuse, très sage cependant, le rend caractéristique de la phase finale du rocaille. Il est désormais prouvé que le fond rose apparut au plus tôt en 1757, il n'a donc pu être utilisé à Vincennes; la combinaison du fond vert et rose se rencontre surtout pour les années 1759-1760. Un bouquet de fleurs sur une face, une scène de genre d'après Teniers sur l'autre complètent le décor peint de ce vase. Selon les renseignements qui nous ont été fournis par M. Brunet, on ne connaît que deux autres exemplaires de cette forme : l'un à fond gros bleu caillouté d'or (anc. coll. A. de Rothschild, *cf.* E. Garnier, *La Porcelaine tendre de Sèvres*, Paris, 1889, pl. 45), l'autre à fond rose au musée de Philadelphie (États-Unis).

Porcelaine tendre
H. : 0,34 m. L. : 0,195 m. P. : 0,145 m
Marque peinte : LL, G;
marque en creux : C
Legs Grandjean, 1910
Inv. Gr 246

POT A OILLE ET PLATEAU
vers 1760

Marseille, fabrique de Fauchier

Depuis la fin du XVIIe siècle s'était épanouie à Marseille une activité faïencière des plus brillantes, dont les principaux artisans appartinrent d'abord à la famille des Clérissy (également présente à Moustiers), avant que n'apparaissent au XVIIIe les Fauchier, Leroy, Robert, Perrin, Savy, etc. C'est à partir de 1711 que Joseph Fauchier dirigea une des plus importantes manufactures qu'il légua en 1751 à son neveu également nommé Joseph Fauchier. Celui-ci, durant la seconde moitié du XVIIIe siècle, resta fidèle à la technique de grand feu tout en s'efforçant, non sans succès, de rivaliser avec la complexité des décors de petit feu. De forme encore nettement rocaille, ce pot à oille est un magnifique exemple de la virtuosité de Fauchier : le décor floral très naturaliste, les paysages de marines montrent une finesse de dessin et des nuances de coloris peu communes dans la polychromie de grand feu; tout aussi originaux sont les étonnants « peignés » d'un violet très sombre qui soulignent les reliefs du décor rocaille.

Faïence de grand feu
Pot à oille : H. : 0,30 m. L. : 0,33 m
Plateau : D. : 0,31 m
Legs Laffon, 1976
Inv. 45421

JARDINIÈRE
vers 1760

Paris, Manufacture de Pont-aux-Choux

On fabriquait en Angleterre depuis la fin du XVIIe siècle une nouvelle faïence à base d'une argile fine, légère, très plastique, tirant tout son charme de sa naturelle blancheur, mise en valeur par une glaçure plombifère translucide. Des exemples de cette production anglaise importés en France incitèrent certains faïenciers français à les imiter. Le premier essai eut lieu à Paris en 1743. En 1748, deux associés, Serrurier et Mignon, installèrent à Paris, près de la rue du Pont-aux-Choux, une fabrique à laquelle fut accordé le titre de « Manufacture royale des terres de France à l'imitation de celles d'Angleterre ». Leur faïence était obtenue à partir d'une argile provenant de la région de Montereau; la qualité en était excellente. La production comportait pour l'essentiel tous les éléments de la vaisselle de table, dont les formes et le décor uniquement en relief imitaient fidèlement l'orfèvrerie contemporaine. Certains objets présentaient un caractère sculptural très élaboré, telle cette jardinière composée d'une grande coquille, de deux dauphins et d'un masque de divinité aquatique encadré d'enroulements rocailles et de roseaux; comme il a été plusieurs fois noté, le style n'en est pas sans rappeler celui du sculpteur Lambert-Sigisbert Adam.

Faïence fine
H. : 0,16 m. L. : 0,34 m
Achat, 1910
Inv. 16880

TERRINE
vers 1762

Strasbourg, fabrique de Joseph Hannong

Grâce à l'industrie de la dynastie des Hannong, Strasbourg fut un des centres les plus brillants de l'art de la faïence au xviiie siècle. Charles-François Hannong, venu de Franconie, ouvrit sa manufacture en 1721. Celle-ci avait déjà connu un remarquable développement, quand, en 1732, elle fut reprise par son fils Paul-Antoine, avec qui la production atteint un niveau de premier ordre. Paul Hannong qui s'était entouré d'excellents collaborateurs tels le peintre Loewenfinck ou le sculpteur Lanz, s'efforça de conférer à ses décors peints une plus grande finesse. Il y parvint en 1748 grâce à une importante innovation technique : la cuisson au petit feu. Désormais, le décor appliqué sur un émail cuit était l'objet d'une nouvelle cuisson, à température plus basse et pouvait donc offrir des couleurs beaucoup plus variées et nuancées. L'œuvre de Paul Hannong fut poursuivie de 1762 à 1781 par son fils Joseph dont la terrine exposée est contemporaine. Son décor floral polychrome, exemple tardif du style « chatironné » ou « contourné », caractérisé par un cerne noir continu, rappelle la « fleur des Indes » de la période de Paul Hannong, avant que le traitement des modèles floraux ne devienne plus virtuose.

Faïence de petit feu
H. : 0,26 m. L. : 0,365 m. l. : 0,26 m
Marque peinte : H 401
Don Viennot, 1921
Inv. 22183

TERRINE ET PLATEAU
vers 1765

Niderviller, fabrique de Beyerlé

Jean-Louis Beyerlé, directeur de la Monnaie royale de Strasbourg, ayant en 1748 racheté la seigneurie de Niderviller, c'est sous sa direction que s'y développa une faïencerie, fondée dès 1735, mais dont la production ne nous est connue qu'à partir de 1754-1755. Dès cette date, elle semble se consacrer presque exclusivement au petit feu, jusqu'en 1778, et la présence de François-Michel Anstett, formé à la manufacture de Paul Hannong à Strasbourg, lui assure un haut niveau de qualité. Quoique placée à ses débuts dans l'orbite de Strasbourg, la faïence de Niderviller adopta rapidement des décors parfaitement originaux. Cette terrine et son plateau témoignent par leurs formes très élaborées de l'influence des modèles d'orfèvrerie, de François-Thomas Germain par exemple; les caractères du rocaille tardif s'y combinent avec des éléments plus réalistes tels que l'écrevisse, les champignons et les légumes en relief formant la graine du couvercle. Des peignés bleus, rouges et violets s'harmonisent avec la polychromie du décor floral, moins rigoureux qu'à Strasbourg mais néanmoins d'excellente qualité.

Faïence de petit feu
Terrine : H. : 0,245 m. L. : 0,38 m
l. : 0,22 m
Plateau : L. : 0,51 m. l. : 0,34 m
Marque peinte : N.B.
Don Bichet, 1905
Inv. 11821

VASE A ANSES TORSES
vers 1765

Manufacture de Sèvres

Un vase très semblable, pourvu d'un couvercle, a été étudié par Marcelle Brunet (Brunet, Préau, *Sèvres des origines à nos jours*, Fribourg, 1978). Deux autres formant paire, à fond vert, de 1768, figurent dans les collections royales d'Angleterre (*cf.* Expo. Sèvres *Porcelain from the Royal Collections*, Londres, Queen's Gallery, Buckhingham Palace, 1979-1980, n° 109). De nombreux autres exemplaires avec des variantes diverses sont connus. Le modèle semble pouvoir être attribué à Jean-Jacques Bachelier (1722-1806), peintre, directeur artistique de la Manufacture à partir de 1748, responsable de la création de nombreuses formes, où apparaissent précocement, dès 1760 les prémices du néo-classicisme. Il est tentant de l'identifier soit avec le vase « à col cylindrique » (*cf.* Svend Eriksen, *Early Neo-Classicism in France*, Londres, 1974, p. 373) soit avec le « vase Bachelier à anses élevées, tire-bouchon, tortillées », comme le suggère M. Brunet. Par sa structure nettement articulée, superposant un pied circulaire, un corps ovoïde, un col cylindrique et des anses torsadées ainsi que par les motifs de son décor en relief rehaussé d'or : guirlandes de laurier, feuilles à l'antique, ce vase est caractéristique du goût néo-classique. Sur les deux faces, dans le fond « beau bleu », ont été ménagées deux réserves dont l'une s'orne d'une scène de bergerie dans le goût de Boucher, tandis que l'autre en rappelle le thème par une houlette, une musette, une cage, des chapeaux, des fleurs réunis en trophée.

Porcelaine tendre
H. : 0,32 m. L. : 0,15 m
Don P. Gasnault, 1838
Inv. 8829

BUSTE DU DOCTEUR BORIE
1767

Jean-Jacques CAFFIERI, 1725-1792

Issu d'une famille d'artistes d'origine italienne, Jean-Jacques Caffieri, dont le père et le grand-père avaient travaillé pour Versailles, fut l'élève de J.B. II Lemoyne. Prix de sculpture en 1748, pensionnaire à l'Académie de France à Rome jusqu'en 1753, il fut reçu à l'Académie royale de Peinture et de Sculpture avec une figure de Fleuve aujourd'hui conservé au musée du Louvre. Présent aux Salons de 1757 à 1789, soit avec des bustes de contemporains soit avec des effigies rétrospectives, Caffieri fut sollicité par le comte d'Angivilliers pour participer à la réalisation de la série des *Hommes illustres*.

Au Salon de 1767, il exposa quatre œuvres dont le portrait en terre cuite du docteur Borie. Comme celui du chanoine Pingré du musée du Louvre, ce buste appartient au genre du portrait de savant qui fleurit au siècle des Lumières avec l'essor des sciences. Caffieri, qui plaçait l'idéal de son art dans la recherche de la ressemblance, dépasse ici son propos en dégageant la personnalité du modèle avec une audace réaliste. Diderot l'a bien perçu, dans sa critique du Salon de 1767, en déclarant devant le buste qu'il était « ressemblant à faire mourir de peur un malade ».

L'éblouissante technique de Caffieri trouve avec la terre cuite un moyen d'expression où sa virtuosité peut s'épanouir avec force et conviction.

Terre cuite
H. : 0,670 m. L. : 0,40 m
Inscription au dos « Pascal Borie Docteur
Régent en Médecine né à Pau en Béarn »
Don Maciet, 1880
Inv. 410

CHAISE A LA REINE
vers 1770

La structure de cette chaise appartient encore au style Louis XV : les pieds, les traverses et le dossier obéissent à un jeu de courbes et de contre-courbes dont la pureté n'a d'égal que la virtuosité. On remarquera cependant que le décor sculpté révèle l'apparition d'un esprit nouveau : le néo-classicisme, que les feuilles d'acanthe et les faisceaux de joncs liés laissent pressentir; la fantaisie du rocaille a disparu. On notera l'importance du rôle joué par la mouluration qui souligne et accompagne la continuité des courbures et procure à la silhouette du siège une élégance caractéristique de la phase ultime de style Louis XV. Si l'absence d'estampille interdit toute certitude quant à son auteur, cette chaise n'est pas sans évoquer la manière des Foliot, famille de menuisiers parisiens ayant principalement travaillé pour la couronne durant le XVIIIe siècle. La marque C.D.T. qui se retrouve sur un ensemble de sièges de Nadal aujourd'hui partagé entre le Louvre, le musée Camondo et le Mobilier national ainsi que sur un bureau à cylindre par Teuné portant les armes du comte d'Artois (coll. royales de Grande-Bretagne) est généralement considérée comme celle du château du Temple à Paris, où le futur Charles X se fit installer des appartements après 1776.

Hêtre sculpté
H. : 91,5 m. L. : 0,50 m. P. : 0,53 m
Marque au fer : C.D.T. sous une couronne fermée
Legs Peyre, 1905
Inv. Pe 776

ASSIETTE PLATE
1773

Manufacture de Sèvres

Le marli, à contour lobé, est entouré d'une étroite bande bleue bordée d'or portant une file de feuilles de chêne dorées; à l'intérieur, trois corbeilles de fleurs alternent avec trois médaillons ovales où sont peints des amours respectivement accompagnés d'un carquois, d'une torche et d'une colombe; entre les corbeilles et les médaillons, sont disposées six couronnes de lauriers. Un filet doré marque la limite intérieure du marli. Au centre du fond, des guirlandes de fleurs diverses et de barbeaux, dessinent le chiffre CL que surmonte une couronne de roses. L'assiette fait partie d'un important service de table commandé par Louis XV à la manufacture pour être offert, en janvier 1774, à la reine de Naples, Marie-Caroline-Louise d'Autriche, épouse de Ferdinand IV, sœur de Marie-Antoinette. Ce service, aujourd'hui dispersé, dont le Musée des Arts Décoratifs conserve également une assiette creuse, reste actuellement un des moins bien connus de tous ceux que Sèvres exécuta au XVIIIᵉ siècle pour les souverains d'Europe; par la fraîcheur de ses coloris et l'élégance de son décor, il constitue assurément une des plus heureuses créations de la Manufacture royale.

Porcelaine tendre
D. : 0,244 m
Marques peintes : LL, U(1773);
W : Weydinger père, peintre,
1757-1807

Marque à l'or : Chauveaux aîné, doreur et peintre, 1753-1788
Marque en creux indéterminée (x...)
Achat, 1983
Inv. 54154

PANNEAU A MOTIFS RÉPÉTITIFS
papier peint, 1778

Paris, Manufacture Réveillon, 1765-1791

La manufacture Réveillon, active de 1765 à 1791, joue un rôle primordial dans l'expansion du papier peint français. On assiste alors au passage du domino au papier peint fabriqué à la manière des indiennes.

Jean-Baptiste Réveillon devient fameux en 1753 en parvenant à coller des papiers veloutés anglais dans la demeure parisienne de l'ambassadeur d'Angleterre. Ce succès l'encourage à importer des papiers britanniques fort prisés de la société de l'époque. De l'importation, J.-B. Réveillon passe bientôt à l'imitation et fonde ses propres ateliers. Installé dans le faubourg Saint-Antoine, il emploie les meilleurs dessinateurs et perfectionne les procédés de fabrication. Il imagine ainsi de monter les feuilles de papier en rouleaux et d'employer des couleurs à la détrempe. Ses papiers courants sont inspirés des toiles de Jouy ou de l'Inde, des soieries de Lyon et reproduisent des sujets pastoraux, des rubans, des dentelles, des fleurs en abondance.

Soucieux de sa réputation, J.-B. Réveillon finance, en septembre 1783, le lancement de la première montgolfière depuis les jardins de la Folie-Titon, siège de la manufacture.

Cette même année, il obtient le titre de Manufacture royale pour l'établissement de la rue de Montreuil.

Malheureusement pour lui, en avril 1789, les premières émeutes révolutionnaires se traduisent par la mise à sac de la Folie-Titon. Pris de peur, Réveillon se réfugie alors en lieu sûr et cède son entreprise à Jacquemart et Bénard.

Impression à la planche de bois gravée en
relief sur papier rabouté
Achat au fonds Follot, 1982
Inv. 50462

ÉCUELLE ET PLATEAU
vers 1785

Paris, Manufacture du duc d'Angoulême

Alors que l'Allemand Bottger était parvenu dès 1710 à fabriquer de la porcelaine dure à Meissen (Saxe), c'est seulement après 1770, quand fut découvert le kaolin de Saint-Yrieix (près de Limoges), que Sèvres fut en mesure de réaliser une pâte dure. La Manufacture royale se consacre dès lors simultanément aux deux catégories de porcelaine, conservant une nette préférence pour la pâte tendre. Néanmoins, durant le dernier tiers du XVIIIᵉ siècle, la porcelaine dure connut en France une grande diffusion, grâce à la multiplication de nouvelles manufactures, essentiellement parisiennes, dont la production lui était entièrement consacrée. Presque toutes bénéficièrent de la protection d'un membre de la famille royale : la reine, Monsieur, le comte d'Artois, le duc d'Orléans. La manufacture créée par Dihl et Guerhard, rue de Bondy en 1781, obtint la protection du duc d'Angoulême; l'excellente qualité de sa production lui valut un vif succès. Nettement influencée par le style de Sèvres, l'écuelle est caractéristique de l'art et de l'habileté de Dihl et Guerhard, par son fond bleu foncé recouvert de rinceaux d'or ainsi que par les six petits paysages de ruines et de marines qui en ornent les réserves.

Porcelaine dure
Écuelle : H. : 0,13 m. D. : 0,145 m
Plateau : L. : 0,24 m. l. : 0,195 m
Marques peintes : Manufacture de

Mgr le Duc d'Angoulême à Paris F
(à l'or); 2 (en creux, plateau)
Don Desurmont, 1935
Inv. 32428

LA FAMILLE GOHIN
1787

Louis-Léopold BOILLY, **1761-1845**

Peint alors que Boilly n'avait que vingt-six ans, ce portrait collectif, une des plus grandes œuvres du peintre, est celui d'une famille qui nous est désormais bien connue grâce aux renseignements qui nous ont été communiqués par M. Serge Grandjean, descendant direct des personnages représentés. Le tableau aurait été commandé par le notaire Henry-Jean-Baptiste Bouquillard, alors qu'il venait d'épouser Benjamine Gohin.

Assis à droite, devant un bureau à cylindre, figure Louis Gohin, négociant en couleurs, inventeur du bleu de Prusse, établi rue du Faubourg-Saint-Martin. A côté de lui est assise son épouse, née Catherine Boileau, petite-nièce de l'homme de lettres Nicolas Boileau. A gauche, au premier plan et debout, leur fille Benjamine tient par le bras son époux Henry-Jean-Baptiste Bouquillard (1765-1832). Celui-ci, après avoir fait fortune aux Indes françaises, comme l'évoque symboliquement le tableau qu'il tient et désigne du doigt, s'installa à Paris dans l'actuelle rue Cambon, dans une maison qu'il remplit d'œuvres d'art et de meubles de prix. Leur fille, Marie-Henriette Bouquillard, née le 16 août 1787, fut ajoutée après coup sur le tableau, aux pieds de sa grand-mère. A l'arrière-plan, devant la cheminée, Louis-Julien Gohin, fils du négociant, est accompagné de sa jeune épouse Suzanne Arthur. Henri-Émile Perrin (1844-1909), petit-fils de Marie-Henriette Bouquillard, et fils de l'administrateur général de la Comédie-Française Émile Perrin, légua le tableau au musée en 1909, en même temps qu'un précieux ensemble de dessins, de meubles et de livres rares.

Huile sur toile
H. : 0,94 m. L. : 1,35 m
Legs Henri-Émile Perrin, 1909
Inv. 16468

PAIRE DE CANDÉLABRES OU GIRANDOLES
1787-1788

Gabriel GERBU, après 1750-vers 1806, maître orfèvre à Paris en 1782

Gabriel Gerbu, qui était apprenti chez Simon Gallien en 1765, fit insculper son poinçon de maître en mars 1782; il demeurait alors rue Harlay, paroisse de Saint-Barthélémy, où on le retrouve jusqu'en 1793. Il était encore actif sous l'Empire puisque, en 1806, il tenait boutique d'orfèvrerie et de bijouterie 12, quai de l'École. Un pied circulaire à motif de tore de lauriers et de cannelures, portant des armoiries comtales, supporte un fût de structure complexe, décoré de rosettes, d'entrelacs, d'acanthes et de guirlandes de lauriers; il se termine à sa partie supérieure par un vase à l'antique, portant trois mufles de lions reliés par des lauriers. D'un pot à feu, décoré de trois têtes de chien, de cannelures et d'entrelacs, se détachent trois bras de lumière, composés d'acanthes et de bobèches ciselées de lauriers; les binets, en forme de vases, reprennent un des motifs du fût central.

Argent
H. : 0,470 m. L. : 0,250 m
Poinçons : maître (GG, une gerbe); maison commune, Paris, 1787-1788

(P. couronne); charge et décharge; Paris, 1786-1789
Legs Mme Louis Burat, 1929
Inv. 26879

PENDULE AUX VESTALES
1788

Bronze par Pierre Philippe Thomire, 1751-1843
Mouvement par Robert Robin, 1742-1799

Assis sur une base en marbre de brocatelle, quatre lions de bronze patiné portent sur leurs dos un socle de marbre bleu turquin agrémenté de moulures de bronze doré et de plaques de porcelaine de Sèvres : sur la partie médiane de chacune des faces principales, une longue plaque de porcelaine tendre présente un décor dans le goût pompéien de rinceaux et d'amours; de part et d'autre, sur la face principale, deux médaillons ovales dans le genre Wedgwood figurent l'Astronomie et la Géométrie. Au-dessus, deux vestales de bronze doré, en marche, portent un brancard recouvert d'une draperie de bronze patiné contenant le cadran. Sur le plateau, reposent une buire et une coupe à têtes de satyres, toutes deux de bronze doré. Au centre, porté par trois sphinges de bronze, un autel à trois faces, de porcelaine dure à décor polychrome de femme drapée, de rinceaux et d'amphores, est couronnée de trois têtes de béliers et de festons; au sommet, brûle le feu sacré.

On a depuis longtemps reconnu dans cette pendule une de celles que possédait Marie-Antoinette; inventoriée en 1792 à Saint-Cloud, elle avait auparavant décoré la salle de bains de la reine aux Tuileries, son emplacement d'origine, dont elle s'est irrésistiblement rapprochée en venant au musée. C'est sans doute à Thomire que revient non seulement l'exécution des bronzes mais aussi la composition de l'ensemble; en effet, en 1788, la Manufacture de Sèvres livra au célèbre bronzier plusieurs plaques et autels dont faisaient sûrement partie les éléments qui ornent la pendule. Cependant, l'originalité du thème des vestales portant un brancard trouve sa source dans une gravure d'Hubert Robert, publiée en 1771-1773 dans le recueil des *Griffonis*.

Chef-d'œuvre indéniable de par la qualité de ses divers éléments, la pendule aux vestales témoigne aussi du goût très vif de la dernière reine de France pour les beaux objets. Elle en évoque aussi la chute tragique et douloureuse, dont elle dut impassiblement égrainer les heures cruelles et fatidiques.

Bronze doré et bronze patiné, porcelaine tendre et porcelaine dure de Sèvres, biscuit, marbre de brocatelle et marbre bleu turquin
H. : 0,510 m. L. : 0,650 m
P. : 0,180 m

Anciennes collections de la reine Marie-Antoinette
Versement du ministère de l'Intérieur, 1907

PANNEAU ARABESQUE
papier peint, 1788

Paris, Manufacture Réveillon, 1765-1791

La manufacture de papiers peints de Jean-Baptiste Réveillon dut sa célébrité aux panneaux arabesques comportant plus de vingt couleurs dont elle se fit une spécialité dans la seconde moitié du XVIIIe siècle et qui devinrent son image de marque par excellence.

Ces panneaux généralement placés au cœur d'ensembles architecturaux composés de lambris connurent une grande vogue car ils s'inscrivaient dans la lignée des décorations antérieures : peintures, boiseries, étoffes. Ils flattaient également le goût de la société de l'époque pour les modes antiquisantes et italiennes en faisant référence aux chefs-d'œuvre pompéiens et raphaélesques. Enfin par leur qualité prestigieuse, ils donnaient aux papiers peints ses lettres de noblesse.

Jean-Baptiste Réveillon, fort conscient de l'importance de ces réalisations, en soigna particulièrement l'exécution. Il employa des papiers velin d'une grande qualité fabriqués par sa propre manufacture de Courtalin. Il mêla à la technique de l'impression à la planche de bois gravée en relief l'usage des rehauts de peinture et d'encres colorées, utilisa la poudre d'or pour donner plus d'éclat à ses compositions. Il mit surtout l'accent sur la qualité du dessin et de la composition en faisant appel aux meilleurs artistes du moment.

Pinceautage et impression à la planche de bois gravée en relief sur papier rabouté
Achat, 1985
Inv. OAP 563

COMMODE

fin du XVIIIe siècle

Jean-François LELEU, 1729-1807, maître ébéniste à Paris en 1764

Né et mort à Paris, Jean-François Leleu reçut sa formation d'ébéniste dans l'atelier d'Œben, à l'Arsenal, où il eut Riesener pour condisciple. En 1763, à la mort de leur maître, tous deux se trouvèrent en compétition; Riesener l'ayant emporté, Leleu, non sans amertume, dut renoncer à la situation privilégiée qui avait été celle de son maître. Pourtant, sa carrière n'en fut pas moins brillante. Ayant obtenu la maîtrise en 1764, il installa son atelier d'abord chaussée de la Contrescarpe, près de la Bastille, puis dans l'actuelle rue de Birague. S'il n'eut pas l'occasion de travailler pour le Garde-Meuble royal, il sut se constituer une très brillante clientèle; le prince de Condé s'adressa à lui pour remeubler ses résidences du Palais-Bourbon, de Chantilly, de Saint-Maur. Mme du Barry lui passa également d'importantes commandes; enfin, des châteaux entiers, tels Le Marais ou Hénonville, furent meublés par ses soins. Sa production, relativement abondante, est d'une puissante originalité. De son maître Œben, il a hérité une habileté technique à laquelle, seule, peut se comparer celle de Riesener, et dont témoigne la perfection de ses marqueteries et de ses assemblages. Ses œuvres se caractérisent par une monumentalité, parfois sévère, que l'on trouve rarement chez son rival. Cette commode en constitue un parfait exemple; tirant toute son élégance d'une courbure discrète mais savante, réalisée en acajou massif pour ses façades, elle est pourvue de bronzes dorés rares mais soignés. Une commode de forme semblable, mais plaquée de bois de violette et munie de bronzes plus riches, est conservée à Versailles.

Chêne, acajou, bronze doré,
brèche d'Alep
H. : 0,86 m. L. : 1,40 m. P. : 0,61 m
Estampille : J.F. Leleu, à 3 reprises
Achat, 1949
Inv. 36126

CHIFFONNIER
fin du XVIIIᵉ siècle

Jean-Henri RIESENER, 1734-1806, maître ébéniste à Paris en 1768

Le plus célèbre ébéniste français de la fin du XVIIIᵉ siècle naquit en Allemagne près d'Essen en 1734. Elève d'Œben à l'Arsenal, il fut le rival victorieux de son camarade Leleu, et reprit en 1763 la direction de l'atelier de son maître, avant d'en épouser la veuve en 1767. Devenu maître en 1768, il assuma auprès du Garde-Meuble royal non seulement les fonctions d'Œben mais aussi celles de Joubert qui, en 1774, lui céda son fonds et sa clientèle. Dès lors, son activité au service de la couronne revêtit une ampleur sans précédent qui suppose une extension quasiment industrielle de son atelier. Cependant, en 1784, l'hostilité du nouveau directeur du Garde-Meuble, Thierry, le priva brutalement de la clientèle royale. Seule la reine lui conserva sa faveur. Toute la production de Riesener ne saurait se limiter aux commandes royales, comme en témoigne ce chiffonnier dont la provenance nous est inconnue. Le chiffre GB, tardivement ajouté, ne peut en effet être interprété de manière satisfaisante. Pourvu de six tiroirs et destiné à s'assortir à un secrétaire vertical, aujourd'hui conservé dans une collection privée, ce chiffonnier en imite la structure; correspondant aux deux grands tiroirs supérieurs, et simulant un abattant, un grand panneau de marqueterie figure une corbeille de fleurs. La perfection de la marqueterie, des placages et de la construction, ainsi que la finesse des bronzes dorés, témoignent par ailleurs de la haute et constante qualité des œuvres de Riesener.

Chêne, sapin, placage de bois d'amarante, de satiné, de sycomore, de buis, d'ébène, de ronce de noyer; marbre blanc, bronze doré
H. : 1,41 m. L. : 0,88 m. P. : 0,43 m
Estampille : J.-H. Riesener à deux reprises

Hist. : provient du palais San Donato à Florence (nº 143 de la vente du 14 mars 1880)
Achat, 1886
Inv. 2260

NÉCESSAIRE DE VOYAGE
1798-1809

Martin-Guillaume Biennais, 1764-1843 et
Marie-Joseph-Gabriel Genu

Issu d'une famille modeste, Biennais exerce d'abord la profession d'ouvrier-tabletier avant de s'installer vers 1789, à l'enseigne du *Singe violet* rue Honoré, qui se transformera, sous l'Empire, en 283, rue Saint-Honoré. Après la suppression des corporations, il prend le titre d'orfèvre et devient le fournisseur attitré de la famille Bonaparte avant de devenir l'orfèvre personnel de Napoléon 1er qui lui confie, en 1804, l'exécution des insignes du sacre. L'appui de l'empereur et la remarquable qualité de sa production font de lui l'un des meilleurs orfèvres du début du XIXe siècle, avec Henry Auguste et Claude Odiot. Pour exécuter les nombreux ouvrages que lui commandent l'empereur et son entourage ou encore les cours d'Europe, il s'attache la collaboration d'orfèvres tels que Marie-Joseph-Gabriel Genu, Abel-Etienne Giroux et surtout Jean-Charles Cahier qui reprendra son fonds lorsqu'il se retirera en 1819. De sa première profession, il garde un goût marqué pour les nécessaires, domaine dans lequel il s'illustre par son ingéniosité. Celui-ci fut réalisé pour la maréchale de Bessières, duchesse d'Istrie dont le mari, maréchal de France en 1804, fut colonel général de la garde impériale, grand-aigle de la Légion d'honneur et mourut en 1813, à la veille de la bataille de Lutzen. Si le nécessaire de la maréchale de Bessières est très proche de celui exécuté pour Pauline Borghèse et conservé à Edimbourg, il est beaucoup moins important que ceux exécutés par Biennais pour l'empereur et dont on peut voir deux exemplaires, l'un au Louvre, l'autre au musée Carnavalet. Dans un coffret en acajou à monture de cuivre doré, décoré des armes de la maréchale et doublé de maroquin vert semé d'étoiles d'or, Biennais réussit à loger un service à thé et à café, une chocolatière, accompagnés de deux tasses et de leurs soucoupes en porcelaine, deux couverts, et une paire de petites cuillers; un nécessaire de toilette comprenant bassin, aiguière, flacons en cristal, outils à manucure, etc. Sur le côté droit du coffret, un tiroir contenant un écritoire et des petits récipients en argent, dissimule un secret actionné par une simple pression à l'intérieur du coffret. Chaque pièce semble dessinée pour elle-même dans des formes très élégantes et un décor très sobre.

Acajou, cuivre doré et maroquin pour le coffret; argent, vermeil, cristal, ivoire, nacre, porcelaine
Coffret : H. : 0,19 m. l. : 0,49 m
P. : 0,34 m
Signature gravée sur la tranche intérieure du coffret : Biennais, M. Tabletier, Ebéniste, au singe violet, rue Honoré, n° 511, Paris

Poinçons : 1er titre, argent, 1795-1797; 1er titre, argent, Paris 1798-1809; grosse garantie, argent, Paris 1798-1809; poinçon de Biennais; poinçon de Genu.
Legs de Marie-Jacques-Ferdinand, baron Bessières, 1909
Inv. 15687

BONHEUR-DU-JOUR
vers 1805-1810

Charles-Joseph LEMARCHAND, 1759-1826

Ce petit meuble, appelé fréquemment bonheur-du-jour, s'apparente d'assez loin aux légers bureaux qu'évoque ce nom; il serait d'ailleurs malaisé d'y écrire. Il faut plutôt y voir un cabinet surmontant une table console. La structure très simple, aux lignes droites, typique du style Empire, en est remarquablement proportionnée. Une glace située entre les pieds postérieurs contribue à alléger le support.

L'intérêt de cette œuvre réside surtout dans la qualité de son décor de bronze doré qui associe des éléments égyptiens : palmes, têtes animales avec coiffures pharaoniques, à des éléments antiques : femmes gainées, figures allégoriques. Les deux portes s'ornent de figures féminines personnifiant, l'une, l'Eau sous les traits de Vénus, l'autre, le Feu. Ces deux motifs se retrouvent dans un recueil de dessins de Lemarchand-Thuiller conservé au Cabinet des Dessins du musée (CD 3076 A et C). Il semble donc que Lemarchand dessinait et exécutait lui-même, dans son atelier, les bronzes nécessaires au décor de ses meubles. Parfois, la même applique est employée sur plusieurs pièces. Ainsi le motif du tiroir — deux génies ailés accompagnés d'un lion et d'un mouton de chaque côté d'un autel — se retrouve sur trois autres meubles conservés au château de Malmaison : un cartonnier, non estampillé, provenant des Tuileries et dont la partie haute est également encadrée par deux femmes gainées, et une paire de consoles en acajou provenant du château de Saint-Cloud.

 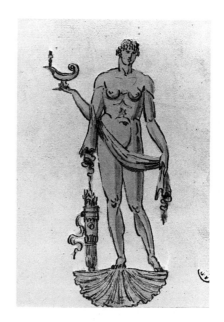

Projets de bronze
d'applique
Plume encre noire,
aquarelle jaune
sur esquisse au crayon
Inv. CD3076/C et A

Acajou de Cuba moucheté et plaqué, bâti
en chêne, bronze doré, marbre
H. : 1,305 m. L. : 0,83 m
P. : 0,538 m

Estampille, au dos : C. Lemarchand
Dépôt du ministère de la Guerre, 1909
Inv. 7210
Provient de l'appartement du gouverneur
des Invalides.

TÉLÉMAQUE DANS L'ÎLE DE CALYPSO

décor panoramique, vers 1819

Manufacture Dufour, 1804 ?-1836

La manufacture de papiers peints de Joseph Dufour a contribué au début du XIXe siècle de façon décisive au lancement des panoramiques, produit alors tout nouveau et spécifiquement français. Elle doit son renom au grand nombre de ces décors d'exceptionnelle qualité qu'elle a créés entre 1804 et 1828, dont notamment *Les Voyages du capitaine Cook, Psyché, Les Vues d'Italie, Paul et Virginie, Renaud et Armide*, etc. Tous ces « paysages » étaient conçus comme l'interprétation imagée, à l'échelle murale, d'une œuvre littéraire. La sortie d'un nouveau décor était fréquemment accompagnée d'un texte publicitaire qui narrait et justifiait le choix du thème. C'est dire l'importance que revêtait la lecture iconographique de la composition aux yeux du public.

Télémaque est directement inspiré des *Aventures de Télémaque* de Fénélon. Construit en 4 tableaux répartis sur 25 lés qu'on lit de droite à gauche, et nécessitant environ 2 000 planches d'impression, il met en scène Télémaque et Mentor débarquant dans l'île de la nymphe Calypso, à laquelle ils font le récit de leurs aventures. Calypso séduite demande à Vénus, arrivée en char, de l'aider à enflammer le cœur de Télémaque. Mais Cupidon rend celui-ci amoureux de la nymphe Eucharis, qui organise une chasse au cerf. Calypso, jalouse, ordonne à ses nymphes d'incendier le vaisseau de Mentor et Télémaque. Ceux-ci se jettent à la mer pour fuir l'île maudite.

L'architecture rigoureuse des temples, les personnages vêtus à l'antique, les jardins à la française au milieu d'une nature dessinée avec retenue, concourent à donner au décor son caractère néo-classique, tempéré par la vivacité des couleurs un peu crues (mais habituelles à l'époque) et par l'expression naïve des personnages.

Papier peint : fond brossé à la main, impression des couleurs à la planche de bois gravée en relief
Don manufacture Desfossé et Karth, 1883
Inv. 29273

BERCEAU DU DUC DE BORDEAUX
1820

Félix REMOND, 1779-après 1860

Composé par l'ébéniste Félix Remond, ce berceau fut offert par la Ville de Paris pour la naissance du duc de Bordeaux, en 1820. On sait que ce fils, auquel la duchesse de Berry donna le jour sept mois après l'assassinat de son mari, fils de Charles X, était le seul héritier direct de la couronne de France.

Certains éléments du décor y font allusion. Quatre cornes d'abondance soutiennent la nacelle en loupe d'orme. Elle se prolonge par une grande Victoire couronnée de lys qui brandit une autre corne d'abondance à laquelle s'accrochaient les rideaux. Une inscription au pied du lit précise qu'elle est l'œuvre de Denière et Matelin, fabricants de bronze à Paris, ainsi que les riches reliefs de la nef : guirlandes de feuillages et de fleurs où se reconnaît le pavot, symbole du sommeil. Des médaillons marquetés représentent les arts. Un berceau presque similaire destiné à la princesse Louise, née un an avant son frère, avait été présenté par Remond à l'Exposition des produits de l'industrie française en 1819.

Celui-ci figura à l'Exposition universelle de 1900 dans le cadre du Musée centennal où se trouvaient regroupés les chefs-d'œuvre de l'art français depuis un siècle.

Loupe d'orme et ronce de frêne
marquetée, bronze doré
H. : 2,26 m. L. : 1,26 m. P. : 0,64 m
Dépôt du Mobilier national, 1927
Inv. GMEC 38

SUCRIER
vers 1820

L'opaline de l'Empire et de la Restauration, ou cristal opale, est le résultat de l'application à une matière nouvelle, découverte en Angleterre, le cristal au plomb, de procédés d'opalisation du verre connus à Venise dès le XVIe siècle. Cendre d'os (phosphate de chaux), étain et arsenic sont les colorants indiqués par les formulaires du XIXe siècle au chapitre des cristaux et verres opales. Les colorations roses, parfois à tendance rouge violacé, sont obtenues par adjonction de sel d'or. Les cristaux opales colorés furent fabriqués par l'ensemble des nouvelles cristalleries françaises, Montcenis au Creusot, Saint-Louis, Vonèche transféré à Baccarat en 1819, Bercy et Choisy-le-Roi, mais aucun document, jusqu'à ce jour, ne permet de départager avec certitude leurs productions.

Cette coupe couverte dont la taille prodigieusement habile fait vibrer les variations colorées de la matière est également un remarquable exemple du travail des « metteurs en œuvre » de l'époque de la Restauration qui assemblent les cristaux des manufactures avec des éléments en bronze doré. Ces Parisiens, souvent commerçants, associant parfois les porcelaines et les bijoux à la diffusion des cristaux opales ou transparents, surent développer, auprès des amateurs de l'Empire et de la Restauration, le goût pour cette nouvelle création des verriers. Ils contribuèrent ainsi à l'essor des grandes manufactures de cristaux du XIXe siècle, à l'origine desquelles se trouve un remarquable groupe de scientifiques, de techniciens et d'entrepreneurs. *Au petit Dunkerque*, rue de Richelieu et *L'Escalier de cristal* au Palais-Royal sont parmi les plus célèbres de ces maisons et, à la dernière, on attribue parfois la gloire d'avoir débuté la fabrication d'objets d'ornement et de meubles en cristal orné de bronze.

Cristal opale rose, nuance dite gorge-de-pigeon, décor taillé de côtes torses; monture en bronze doré : base circulaire à pieds en griffes; jambe formée d'un balustre central et de trois dauphins; cygne formant bouton de préhension de couvercle
H. : 0,28 m. D. : 0,16 m
Don W. Odom, 1946
Inv. 35449

PSYCHÉ A MUSIQUE
1824

Félix Remond, 1779-après 1860

La duchesse de Berry, belle-fille de Charles X, fait en 1823 une commande à son ébéniste préféré, Félix Remond, pour l'appartement qu'elle occupait depuis la mort de son mari aux Tuileries, dans ce pavillon de Marsan qui abrite aujourd'hui le Musée des Arts Décoratifs.

Ébéniste au Garde-Meuble de la couronne, Remond travaille néanmoins à son compte dans l'atelier dirigé par sa belle-mère, Mme Morillon. En 1824, sont livrés un lit, dont la trace est perdue, une table de toilette et ce miroir à la psyché réunis au musée. Depuis son apparition récente, la psyché était devenue un élément indispensable du mobilier féminin, avant d'être bientôt supplantée par l'armoire à glace.

Elle est exécutée en bois français, loupe de tuya et d'amboine. Une guirlande de lys en fleur, marquetée en loupe d'orme, entoure le miroir. Sur le socle, rinceaux et feuillages accompagnent des bustes et attributs symbolisant les arts. Deux colonnes supportent les bras de lumière et des amours agenouillés tenant une coupelle en bronze doré. Dans le socle et à l'arrière, est placé un mouvement musical — ce qui explique l'épaisseur inusité du miroir —, abritant un jeu de vingt-quatre flûtes. Dès 1806, Davrainville, facteur d'instruments mécaniques, avait obtenu à l'Exposition des produits de l'industrie française une mention, renouvelée en 1823, pour ses instruments exécutants, sur plusieurs octaves, des morceaux arrangés jusqu'à six parties « avec une netteté et une précision qu'on n'avait point encore entendues ».

Loupe de tuya et d'amboine, marqueteries en loupe d'orme, bâti en chêne, bronze doré
H. : 1,93 m. L : 1,065 m. P. : 0,39 m
Estampillé, sous la porte arrière :

F. Remond. Mouvement musical signé et daté : « Davrainville Paris 1823 », n° 285
Dépôt du Mobilier national, 1927
Inv. GME 1451

L'EMPEREUR JUSTINIEN COMPOSANT SES INSTITUTES
1826-1827

Eugène DELACROIX, 1798-1863

Cette esquisse permet d'imaginer ce qu'était la grande composition de 3,71 m sur 2,76 m que Delacroix termina en 1827 pour une salle du Conseil d'État et qui fut détruite en 1871 sous la Commune lors de l'incendie du Palais-Royal.

Le choix du sujet avait été laissé à l'artiste : le rappel des célèbres travaux législatifs de Justinien au VIᵉ siècle convenait bien au lieu à décorer. Il permettait à Delacroix de donner libre cours à son attirance pour l'Orient. Pour traiter les « brocarts constellés de pierreries, le luxe asiatique de Constantinople » (Théophile Gautier), il fit de nombreuses études d'après des documents sur l'art byzantin. Un des dessins préparatoires, un fusain représentant Justinien, a été donné au musée en 1937 par M. Carle Dreyfus.

Bien que le thème choisi fût historique, l'interprétation est fortement marquée de culture religieuse : l'empereur est assisté de deux personnages ailés, l'ange de la Justice rappelant ici l'iconographie de saint Matthieu. Les masses colorées et lumineuses s'organisent selon une composition en diagonale que Delacroix admirait chez Rubens et qu'il applique ici pour la première fois à une œuvre monumentale. A la ligne oblique du rideau répond l'axe lumineux du livre et du personnage prolongé dans l'angle inférieur par une tâche claire.

Toujours restée chez l'artiste, cette toile fut achetée à la vente de l'atelier après sa mort par Corot.

Étude
Dessin au fusain
0,315 m × 0,205 m
Inv. 32622

Huile sur toile
Au revers sur le chassis, cachet de cire
rouge de la vente Delacroix
H. : 0,55 m. L. : 0,47 m
Legs Raymond Koechlin, 1931
Inv. 27987

COMMODE A VANTAUX
époque Restauration

Jean-Jacques WERNER, 1791-1849

J.-J. Werner peut être considéré comme le plus important ébéniste de la Restauration. Il se spécialisa dans la fabrication en bois « indigènes », c'est-à-dire français, qu'il exploitait lui-même; assurant ainsi une parfaite qualité à ses productions, il contribua à faire passer de mode l'acajou. Il reçut toutefois peu de commandes officielles et ses meubles sont rares dans les musées.

Cette remarquable commode, en loupe d'orme, est fermée par deux vantaux. L'austérité de sa structure met en valeur les éléments du décor d'inspiration guerrière : colonnes d'angles formées de faisceaux de licteurs liés de bronze, reposant sur la hache et couronnés d'un casque à mentonnière. Sur le tiroir de ceinture, un relief en bronze accosté de palmettes montre une Victoire écrivant qui symbolise l'Histoire. Une épée dans son fourreau masque la jonction des vantaux; encadrées de feuillage, deux têtes casquées cachent les entrées de serrure.

On ignore la destination première de ce meuble, ainsi que du secrétaire qui l'accompagne, mais ils figurèrent, à partir de 1844, dans l'appartement du gouverneur des Invalides.

Loupe d'orme, bronze doré, dessus de marbre gris
H. : 0,96 m. L. : 1,385 m
P. : 0,66 m

Estampillé : J.-J. Werner
Dépôt du ministère de la Guerre, 1909
Inv. 18

POT-POURRI
vers 1840

Jacob-Petit, Jacob Mardochée dit, 1796-1868

C'est à Paris, rue Basse-Saint-Denis, puis 26, rue de Bondy que Jacob-Petit vend la porcelaine qu'il fabrique à Fontainebleau depuis 1834. Aux Expositions des produits de l'industrie (1834, 1839 et 1849), il voit sa production récompensée pour la qualité de sa pâte et surtout l'invention de ses formes. Ainsi, Ebelmen, rapporteur en 1849, le considère « comme le premier inventeur de ces formes contournées, quelquefois bizarres, connues sous le nom de rocailles » qu'il présenta au public dès 1834.

Jacob-Petit recrée, ici, la forme du pot-pourri, inventée à Sèvres au siècle précédent, par l'apport d'éléments disparates : socle rocaille et anses torsadées, tandis qu'il puise, aux sources du XVIIIe siècle, les couleurs gaies et lumineuses de son décor et les formes chantournées de ses cartels. Par ce genre de pièce, il s'inscrit dans le courant prérococo qui connaît une grande vogue sous le règne de Louis-Philippe.

Ce vase donné par Mme King en 1948 avec d'autres pièces de porcelaine et de verre, faisait partie de la très importante collection dont le complément entra par legs au musée en 1966.

Porcelaine dure
H. : 0,35 m. D. : 0,24 m
Sous la pièce, marque :
J.P. en bleu sous couverte
Don Mme King, 1948
Inv. 35970

BRACELET
1841

François-Désiré FROMENT-MEURICE, 1802-1855, sculpture de James PRADIER, 1792-1852

Fils de l'orfèvre François Froment établi en 1792, François-Désiré apprend d'abord le métier chez son père puis entre à seize ans en apprentissage chez le ciseleur Lenglet, pour ensuite travailler avec Pierre Meurice, le second mari de sa mère tout en suivant parallèlement des cours de dessin et de sculpture. En 1832, il reprend la direction de la maison familiale et adopte le double nom Froment-Meurice. Il se fait connaître dès 1839 en obtenant deux médailles d'argent pour l'orfèvrerie et la bijouterie à l'Exposition de l'industrie où il expose un service à thé pour le Shah de Perse dans le style du XVIe siècle. Orfèvre par excellence de l'époque romantique, son métier est loué par Balzac, Eugène Sue, Victor Hugo qui salue en lui le « Statuaire du bijou ». A une époque où le rôle de la sculpture dans l'orfèvrerie et la bijouterie est devenu primordial, Théophile Gautier nous apprend que « Pradier, David d'Angers, Feuchères, Cavelier, Préault, Schoenewerk, Pascal, Rouillard ont été traduits en or, en argent, en fer oxydé par Froment-Meurice. Il a réduit leurs statues en épingles, en pommes de cannes, en candélabres, en pieds de coupes, les entourant de rinceaux d'émail et de fleurs de pierreries, faisant tenir à la Vérité un diamant pour miroir, donnant des ailes de saphir aux anges, des grappes de rubis aux Erigones ». F.D. Froment-Meurice crée des œuvres originales inspirées de la Renaissance et du Moyen Age gothique. Ainsi à l'Exposition de l'industrie de 1844, il présente des broches et des bracelets à sujets, intitulés Esmeralda, Jeanne d'Arc, une bague Ange gardien, une autre Naïades modelée par le sculpteur James Pradier, auteur également de ce bracelet style Renaissance daté de 1841, où deux femmes à moitié nues sont étendues sur des peaux de lions, de part et d'autre d'une cassolette émaillée de rinceaux. Ce bracelet nous montre la maîtrise professionnelle de Froment-Meurice dans la ciselure de figures en ronde-bosse et la façon merveilleusement vivante dont il sait rendre l'idée du sculpteur.

Argent, émail, perle, rubis
H. : 0,03 m. D. : 0,08 m
Inscription gravée à l'intérieur du bracelet : Pradier statuaire — F.D. Froment-Meurice orfèvre 1841

Poinçons : petite garantie argent, Paris, depuis 1838; sur le fermoir petite garantie, or, Paris, depuis 1838
Don Henri Vever, 1924
Inv. 24384

LE JARDIN D'ARMIDE
décor panoramique, 1854

Composition d'Edouard MULLER, 1823-1876
Manufacture DESFOSSÉ et KARTH, 1851-1948

La manufacture Desfossé et Karth doit son renom à la création de décors prestigieux, tels que *Le Jardin d'hiver*, *La Galerie de Flore*, *L'Eden*, etc. Jules Desfossé s'était fait le défenseur du renouveau du panoramique : abandonnant la succession narrative de tableaux, il conçoit le décor comme un chef-d'œuvre monumental, capable d'atteindre les perfections de l'art de la « grande peinture » ou de la sculpture.

Le Jardin d'Armide est l'un des plus célèbres témoins de cette nouvelle tendance qui apparaît dès 1845. Présenté à l'Exposition universelle de 1855, il y a été primé d'une médaille de 1re classe. Muller s'est ici directement inspiré de la *Pandore* sculptée par Pradier entre 1845 et 1850. Le vase d'Armide d'où sort un liseron, qui va s'enrouler autour de la magicienne, est en réalité la transposition de la fameuse « boîte » de Pandore d'où se sont échappés tous les maux de la terre. Etouffant ce qu'il enserre, le liseron était considéré comme l'attribut de la femme ensorceleuse, tuant les êtres qu'elle séduit. Le premier plan, volontairement massif et impressionnant, laisse deviner une pièce d'eau et le fond d'un vaste parc sous une lumière diaphane; les effets de contraste entre la pierre froide et la végétation luxuriante, la rigueur de la composition et l'exaltation d'une folle nature caractérisent le romantisme de l'œuvre.

Elève de Lebert, Edouard Muller s'est spécialisé dans les créations pour l'industrie du textile et du papier peint. Il s'est singularisé par un style d'une exceptionnelle virtuosité dans le rendu du velouté très sensible de la fleur; ses compositions, où le végétal se mêle à d'autres matériaux, tels que les minéraux, utilisent fréquemment les procédés du trompe-l'œil.

Papier peint : fond bleu brossé à la main,
impression des couleurs à la planche de
bois gravée en relief
H. : 3,89 m. L. : 3,37 m
Don Leroy, Hoock et Desfossé, 1878
Inv. 29810

CONSOLE
1864-1865

Aimé-Jules DALOU, 1838-1902

Quatre consoles, entièrement exécutées en bronze et marbre, ornaient le grand salon de la marquise de Païva aux Champs-Élysées. Pour la décoration de ce somptueux hôtel construit en 1864-1865, une équipe d'artistes travailla sous la direction de l'architecte Pierre Manguin. On attribue à Dalou les deux figures d'atlantes supportant le plateau. Il est cependant difficile de déterminer quelle fut la part exacte laissée dans ce travail au jeune sculpteur par Carrier-Belleuse qui avait fait appel à lui pour le seconder; d'autant plus que, dans ces belles figures de jeunes gens demi-agenouillés, ne s'affirme pas encore la vigueur qui caractérise les œuvres plus tardives de Dalou.

Le soubassement ainsi que l'encadrement du plateau sont en bronze ciselé et doré. Le dessus et la ceinture en onyx sont incrustés de motifs géométriques en marbre rouge de deux tons et en albâtre. Cette imposante et somptueuse console prenait toute sa raison d'être au milieu du décor dont elle était un élément constituant. Une autre de ces consoles a été acquise en 1960 par le Toledo Museum of Art.

Bronze doré et patiné, marbres, onyx,
albâtre
H. : 1,10 m. L. : 1,61 m. P. : 0,58 m
Achat à M. Meltzer, 1922
Inv. 22626

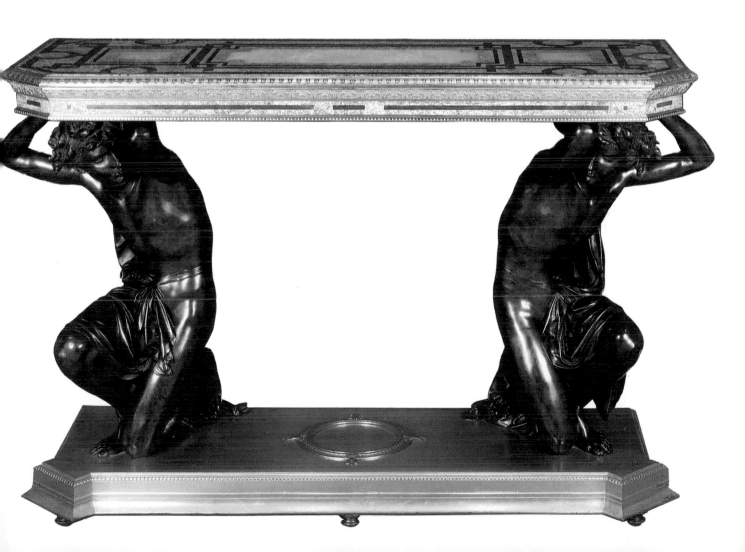

TABLE DE TOILETTE
1867

**Paul Christofle, 1838-1907, et Henri Bouilhet, 1830-1910, orfèvres;
Émile-Auguste Reiber, 1826-1893, dessinateur;
Gustave-Joseph Chéret, 1838-1894, et Albert-Ernest Carrier-Belleuse,
1824-1887, sculpteurs**

Particulièrement célèbre pour ses travaux d'orfèvrerie, la maison Christofle réalise également des meubles luxueux de style Renaissance ou xviiie siècle. Ainsi cette table de toilette est-elle incontestablement inspirée par la petite table à écrire, exécutée par Weisweiler pour Marie-Antoinette et que l'impératrice Eugénie venait d'acquérir.

Pièce unique d'une exceptionnelle qualité, cette table de toilette fut dessinée par Émile-Auguste Reiber, architecte de formation, devenu chef de l'atelier de composition chez Christofle. Il confia à Carrier-Belleuse les sculptures des cariatides des pieds antérieurs et à Gustave-Joseph Chéret, frère du peintre, les autres ornements. Des guirlandes de fleurs en bronze doré de deux tons s'enroulent sur l'acajou de l'entretoise et le lapis de Russie de la ceinture. Le dessus en jaspe rouge du Mont-Blanc est incrusté de lapis de Perse et de fleurs en argent et vermeil.

Très remarquée au centre de la présentation Christofle à l'Exposition universelle de 1867, elle était alors surmontée d'un miroir et garnie d'accessoires de toilette. Achetée par Mme Péreire, elle resta dans la famille du célèbre banquier jusqu'à son entrée au musée.

Acajou, bronze, vermeil, lapis-lazuli,
jaspe, argent
H. : 0,70 m. L. : 0,95 m. P. : 0,62 m
Signé sur la tranche supérieure du tiroir
Don A. et J. Péreire, 1938
Inv. 33777

SURTOUT DE TABLE
coupe et deux candélabres, 1867

Emile FROMENT-MEURICE, 1837-1913
Modèle de la sculpture Emile CARLIER, 1827-1879

Orfèvre et bijoutier, héritier d'une entreprise créée en 1792, Emile Froment-Meurice expose pour la première fois en 1867. Trop jeune à la mort de son père François-Désiré en 1855, la direction de l'entreprise est assurée par sa mère jusqu'en 1859. A cette date, Emile qui a appris le métier parmi les ouvriers formés par son père, reprend la riche clientèle que celui-ci avait réunie depuis 1839. A l'Exposition universelle de 1867, la maison remporte une médaille d'or pour une présentation exceptionnelle comprenant deux commandes impériales : un buste de l'empereur en aigue-marine destiné à la cheminée du salon de l'empereur à l'Hôtel de Ville de Paris et l'original en argent, vermeil et cristal de roche de ce surtout de table. La coupe est formée d'une vasque en cristal de roche ornée de guirlandes de violettes, dont la principale fonction est de dissimuler les joints d'assemblage des morceaux de cristal. Un faune et une faunesse en argent ciselé supportent la vasque et jouent avec des petits amours qui voltigent autour d'eux, tandis que s'échappe, du haut de la coupe, un bouquet de couronnes impériales. Une amphore en cristal, portée par des centaures et des centauresses, sert de base aux candélabres. (Hantz, 1868 p. 130). Comme son père, Emile Froment-Meurice aime associer les matières, métaux de différentes couleurs, pierres dures (aigue-marine, cristal de roche) et tire son inspiration des modèles de la Renaissance. Les figures de Carlier sont cependant plus stylisées, les guirlandes de violettes et les bouquets de fritillaires qui couronnent la coupe et les vases des candélabres ajoutent une note plus naturaliste à l'ensemble de la composition.

Verre, métal argenté, bronze doré
Coupe : H. : 0,59 m. L. : 0,55 m
P. : 0,40 m
Candélabre : H. : 0,91 m
Acheté à la vente Froment-Meurice en 1907
Inv. 14338 ABC

CABINET A DEUX CORPS
1867

Dessin de Pierre MANGUIN, architecte, 1815-1869
Antoine KNEIB, ébéniste
Aimé-Jules DALOU, Emile-Louis PICAULT, Eugène DELAPLANCHE, sculpteurs
Émaux de Bernard-Alfred MEYER d'après le peintre Émile LEVY

Ce majestueux cabinet serre-bijoux est un témoin marquant de la collaboration étroite qui, au second Empire, unissait souvent pour une même réalisation des artistes différents : architecte, ébéniste, sculpteurs, orfèvre, émailleur, peintre ont simultanément œuvré pour cette pièce exceptionnelle.

Lors de l'Exposition universelle de 1867, elle fut admirée et décrite par ceux qui étaient sans doute le plus à même d'apprécier ses qualités techniques : les ouvriers délégués des dessinateurs d'ameublement.

Elle fut créée pour le célèbre hôtel Païva dont, fait exceptionnel à cette époque, l'architecte Pierre Manguin avait dessiné les meubles et éléments décoratifs intégrés parfaitement au cadre de chaque pièce.

Nous avons ici un exemple du « style Renaissance modernisé », tant apprécié au milieu du XIXe siècle.

Si la plus grande partie de ce meuble à deux corps est réalisée en bois noirci, les moulures aux profils recherchés et d'une exécution parfaite sont en ébène. Les notes colorées des plaques incrustées et des colonnettes en lapis-lazuli, et en jaspe rouge, jouent avec raffinement sur ce fond sombre. Un riche décor en bronze doré vieil or le complète.

Les bas-reliefs sont de Jules Dalou, exécutés « dans le style Jean-Goujon ». Ceux du corps inférieur, de forme rectangulaire, relatent des moments de *l'Enéide* et sont soulignés d'inscriptions latines : « Vénus et l'Amour demandent à Jupiter de protéger Enée », « Vénus remet des armes à Enée ».

Sur les portes et les côtés du corps supérieur, quatre médaillons ovales montrent, de gauche à droite : Junon, Amphitrite, Hébé offrant une coupe à l'aigle de Jupiter, et Diane. Sphinges et figures féminines allégoriques ornent les autres reliefs en longueur.

Les bustes des douze Césars placés dans les niches supérieures sont d'Eugène Delaplanche tandis que E.-L. Picault a sculpté les statuettes de Mars et Minerve qui surmontent les colonnes d'angle et la Victoire au centre du fronton brisé couronnant le meuble.

Au bandeau, deux tirettes en bronze doré permettent d'ouvrir un tiroir dont la face antérieure se rabat et forme table à écrire.

L'ornementation intérieure est traitée avec autant de soin : incrustations d'ivoire, de jaspe sanguin et de camées antiques; au revers des portes, émaux en grisaille d'Alfred Meyer d'après le peintre Emile Levy.

Un cabinet à deux corps, dû aux mêmes auteurs, très semblable quoique plus petit et d'une ornementation moins complexe, a été acquis en 1983 par le musée de Hambourg. Il aurait été fait également pour l'hôtel Païva.

Poirier noirci, ébène, bronze doré, lapis-lazuli, jaspe, ivoire
H. : 3,00 m. l. : 1,55 m. P. : 0,70 m
Don Mme Vve Loiseau et M. Paul Baubigny
en souvenir de leur grand-père Pierre Manguin, 1919
Inv. 21506

NEF
1869

Auguste FANNIÈRE, 1818-1900 et Joseph FANNIÈRE, 1820-1897

Neveux et élèves de l'orfèvre Jacques-Henri Fauconnier (1776-1839), les frères Fannière ouvrent, à la mort de leur oncle en 1839, un petit atelier de ciselure où ils ont pour clients tous les orfèvres de l'époque : Lebrun, Duponchel, Odiot, Froment-Meurice, Christofle. Auguste l'aîné, sculpteur, crée et modèle les formes que son frère Joseph exécute et cisèle dans le style de la Renaissance que leur oncle Fauconnier avait été le premier orfèvre à adopter. Ce n'est qu'en 1862 à l'Exposition universelle de Londres, qu'ils présentent pour la première fois leurs œuvres sous leur propre nom et en 1867 à Paris, ils obtiennent une médaille d'or pour l'ensemble de leur exposition. Ciseleurs incomparables, les frères Fannière se virent confier de nombreuses commandes officielles : l'impératrice Eugénie leur demanda d'exécuter la trirème qu'elle voulait offrir à M. de Lesseps à l'occasion de l'inauguration du canal de Suez. En 1854, Ferdinand de Lesseps avait obtenu du vice-roi d'Égypte une concession pour constituer la Compagnie universelle du canal maritime de Suez dans le but de percer un passage à travers l'isthme de Suez qui devait réduire de plus de la moitié la route maritime entre l'Europe et l'Orient. Les travaux commencés à Port-Saïd en 1859 furent subventionnés en 1864 par l'empereur. Le 17 novembre 1869, l'impératrice Eugénie à bord de *L'Aigle* effectua la première traversée de la Méditerranée à la mer Rouge par le canal de Suez à la tête d'une flotte de 68 navires de différentes nations. A cette occasion, elle offrit à Ferdinand de Lesseps cette coupe en forme de galère romaine ornée de figures allégoriques. A la poupe, deux figures assises, la Science et l'Industrie, élèvent sur un bouclier Mercure, dieu du Commerce, tandis qu'une Renommée surgit de la proue ornée du manteau et des insignes impériaux. Sur les flancs de la galère, des reliefs ciselés représentent la construction et l'inauguration du canal; la nef repose sur un pied formé par deux néréides. Les frères Fannière reprennent la forme classique de la nef adoptée depuis le XIIIe siècle par l'orfèvrerie civile et religieuse, et renouvelle ce thème classique par un répertoire figuratif romantique, multipliant les effets de mouvements et de surfaces.

Argent fondu et ciselé, base en marbre vert
H. : 0,72 m. L. : 0,72 m. P. : 0,24 m
Inscriptions sur la poupe : à M. Fd de Lesseps / L'Impératrice Eugénie /

XVII Nov^bre MDCCCLXIX / Suez; sur la proue : Fannière F^res 1869
Don comte Charles de Lesseps , 1909
Inv. 15688

CHÂTELAINE « SPHINGE »
1878

Alphonse Fouquet, 1828-1911
Sculpture de Soldi, ciselure par Brard

Lorsqu'il obtient en 1878 la médaille d'or à l'occasion de l'Exposition universelle, première manifestation importante à laquelle il participe personnellement, Alphonse Fouquet possède derrière lui près de quarante années de métier pendant lesquelles il a gravi tous les échelons qui l'ont amené de l'état d'apprenti à celui de patron pour enfin compter parmi les dix meilleurs bijoutiers de Paris. Il a retracé les différentes étapes de sa vie professionnelle dans un petit livre *Histoire de ma vie industrielle* intéressant à plus d'un titre car il y conte avec beaucoup d'anecdotes la vie laborieuse d'un jeune ouvrier bijoutier dans la première moitié du XIXe siècle. Installé à son compte en 1862, 36, rue aux Ours, après avoir travaillé chez de nombreux bijoutiers tels que Robin père, Alexis Falize, Rouvenat, Murat, Jules Chaise, Alphonse Fouquet se consacre à la fabrication d'une bijouterie courante de bonne qualité jusqu'en 1878, époque à laquelle il adopte un style très personnel inspiré des œuvres de la Renaissance. Ses thèmes de prédilection ne varieront guère jusqu'à la fin de sa carrière; il aime représenter, ciselés comme ici ou endiamantés, des animaux fantastiques : griffons, sphinx, chimères combattant des serpents. La femme est également présente dans son œuvre, que ce soit en 1878 dans des pièces Renaissance ornées d'émaux peints dans des montures inspirées des compositions de Delaune : châtelaine Bianca Capello, bracelet Diane; ou dans les pièces de joaillerie qu'il présente à Amsterdam en 1883 où des diadèmes et des colliers s'ornent de bustes de femmes en or ciselé. En 1895, Alphonse Fouquet se retire laissant la maison à son fils Georges qui allait, par sa participation au mouvement Art nouveau, maintenir l'œuvre familiale au niveau des plus grandes maisons parisiennes. En 1957, Georges Fouquet donne au Musée des Arts Décoratifs tous les documents concernant la production de la maison Fouquet depuis sa création, c'est-à-dire près de cinq mille dessins, plus de 600 plaques photographiques, des maquettes et des recueils de croquis. C'est ainsi que nous possédons les différentes étapes de création de cette châtelaine Sphinge : un dessin au crayon (CD 2566, 65, 2) une gouache sur papier noir (inv. CD 2576, 58, 4) et enfin une maquette en plâtre avec retouches en cire (inv. 38113).

Or ciselé
H. : 0,127 m. L. : 0,05 m
Inscriptions : Alphonse Fouquet 1878/ A.F. DEPOSE 17681; sur le boîtier de montre 118948. Poinçons : ouvrages exportés or depuis 1879; ouvrages réimportés depuis 1888; sur montre petite garantie or, départements depuis 1838
Don Alphonse Fouquet, 1908
Inv. 14851 F

CHEMINÉE

1880-1885

Dessins d'Eugène GRASSET, 1853-1917

En 1879, Eugène Grasset se voit confier par l'imprimeur Charles Gillot la décoration et l'ameublement de son hôtel particulier, rue Madame à Paris. Les deux hommes sont liés par leurs métiers, Grasset illustre pour Gillot *Le Petit Nab* qui paraîtra en 1882, puis *La Légende des quatre fils Aymon* éditée en 1883, mais aussi par des goûts communs pour le Moyen Age et les arts d'Orient et d'Extrême-Orient. Tous deux sont des collectionneurs. La cheminée donnée au musée par Mme Richard, petite-fille de Charles Gillot, était destinée à la galerie du second étage construite pour abriter ses collections, et ses grandes dimensions sont en rapport avec celles de la pièce. Réalisée par l'ébéniste Fulgraff, elle est composée de trente-deux morceaux de chêne massif, sculpté d'un décor foisonnant, purement ornemental ou symbolique, inspiré des thèmes chers au XIXe siècle. « Tout au haut de la cheminée, l'artiste a représenté, sous la forme d'une chauve-souris et d'un oiseau, le Jour et la Nuit. Dans les petites galeries qui supportent les tablettes latérales sont figurés les quatre éléments par des plantes, des minéraux, des animaux, et les quatre saisons par des végétaux. Aux quatre panneaux carrés des portes, on voit le Travail et l'Etude, la Guerre et la Paix, tandis qu'au renflement de la corniche qui supporte l'allège, si l'on peut dire, du monument, apparaissent la Science et l'Art. L'ornementation pure, colonnes avec leurs chapiteaux, moulures, frises, est d'une extraordinaire richesse; chaque détail intéresse et captive. » (Eugène Grasset, Gabriel Mourey, *Art et Décoration*, Paris, t. XIII, janvier 1903, pp. 8 et 10.) Le décor des landiers de fer forgé dessinés également par Grasset utilise le même répertoire fantastique (inv. 45714). Un dessin préliminaire donne une version différente de la cheminée. Le buste de Charles Gillot, terre cuite de Pierre Cordier (inv. 49439) était remplacé par celui de son père Firmin Gillot.

L'ameublement de la galerie comportait également des bibliothèques, actuellement au Musée des Arts Décoratifs, comme le mobilier de la salle à manger dessiné partiellement en 1880 et complété pour la fille de Charles Gillot en 1905 (*cf.* Geneviève Bonté, « Un ensemble mobilier d'Eugène Grasset », *Cahiers de l'UCAD*, n° 1, 1978, pp. 11 à 14).

Plan et coupe
Crayon sur calque
1879-1881
Inv. 45654 et
CD3834A

Chêne sculpté et faïence émaillée
H. : 3,00 m. L. : 2,50 m
Don Mme Richard, 1977
Inv. 45713

AU-DESSUS DU GOUFFRE
1888

Paul GAUGUIN, 1848-1903

1888 est une année importante dans l'œuvre de Gauguin où il affirme un nouveau style totalement dégagé du réalisme impressionniste. C'est une année de contacts riches et dramatiques, avec un nouveau séjour à Pont-Aven où il retrouve Emile Bernard et son passage à Arles auprès de Vincent Van Gogh. La présence d'Emile Bernard et les toiles cloisonnistes qu'il rapporte de Paris stimulent Gauguin dans une voie qui apparaît déjà dans certaines toiles de 1886-1887 : utilisation de la couleur en aplats, découpage japonais, simplification décorative. Ces tendances sont affirmées dans *Au-dessus du gouffre* « [...] étonnante et très abstraite étude d'équilibre de masses et de rapports de couleurs. Les sinuosités s'imbriquent les unes dans les autres avec un certain maniérisme, et les rochers et la vague qu'elles veulent représenter ne sont plus qu'un lointain prétexte. Cette toile illustre bien ce que Gauguin, à qui ses propres intentions étaient parfaitement claires, écrivait alors : "J'ai cette année tout sacrifié : l'exécution, la couleur, pour le style, voulant m'imposer autre chose que ce que je sais faire." » (Françoise Cachin, *Gauguin*, Paris, Le Livre de poche, 1968, p. 118).

Cette toile qui faisait partie de la collection du comte Guy de Cholet avait été acquise lors de la vente Gauguin le 23 février 1891 (cat. n° 29).

Huile sur toile
H. : 0,73 m. L. : 0,60 m
Signé et daté en bas à gauche :
P. Gauguin 88
Legs comte Guy de Cholet, 1923
Inv. 29196

VASE « MEI PING »
1889

Ernest CHAPLET, 1835-1909

A l'Exposition universelle de 1889, Ernest Chaplet rencontre un véritable triomphe avec des porcelaines *flambées*, qui lui valent une médaille d'or. Elles sont le résultat d'une aventure qui débute à l'époque où Chaplet découvre avec Bracquemond les porcelaines de la Chine et les fameux rouges de cuivre qui fascinent l'Occident depuis leur découverte : fascination entretenue par les Chinois qui gardent secret le procédé de fabrication. A la suite de la Manufacture de Sèvres qui entreprend des recherches sérieuses au milieu du XIXe siècle, plusieurs céramistes tentent de fixer le rouge de cuivre : au premier rang, Théodore Deck et Chaplet. En 1885, après des essais décevants, Chaplet met au point un rouge de cuivre d'une teinte parfaite, obtenu à une température jamais atteinte jusqu'alors. Suivant l'exemple des Chinois et de Deck si discret lorsqu'il s'agit de parler de ses rouges de cuivre, il cache ses secrets de fabrication. Le 4 octobre 1887, Chaplet cède à Delaherche l'atelier de la rue Blomet, que les Haviland lui avaient donné. Il communique au potier de Beauvais tous ses secrets, à l'exception de ceux concernant le rouge de cuivre. Il s'installe alors à Choisy-le-Roi où il réalise son œuvre personnelle, progressivement détachée de l'influence de l'Extrême-Orient, encore très sensible dans le vase « Mei Ping » de 1889.

Inspiré d'une forme créée à l'époque Song, ce vase de dimensions exceptionnelles est réalisé dans une porcelaine épaisse. Huit côtes légèrement saillantes partent du goulot très étroit, enserrent la panse large et haute, et déterminent à la base un plan hexagonal. Sur cette forme élégante, le rouge de cuivre, flammé bleu-violet, couvre la panse d'une nappe dense qui s'intensifie et s'alourdit à la base, dégageant en blanc la crête des nervures. Un vase identique, daté de 1889, mais de dimensions légèrement différentes et couvert d'un rouge de cuivre très uni se trouve dans la collection Haviland à Limoges (*cf.* Jean d'Albis, *Ernest Chaplet*, Paris, 1976, cat. n° 123 et fig. 63). Ce qui laisse à penser que Chaplet, comme Emile Gallé, se méfiant des caprices du feu, réalisait plusieurs exemplaires de la pièce destinée à une exposition prestigieuse.

Porcelaine épaisse, recouverte d'un émail rouge de cuivre virant au violet, arêtes blanches
H. : 0,535 m. D. max. : 0,278 m
D. ouv. : 0,075 m
Signé et daté sous la pièce : initiale E à l'intérieur d'un chapelet, et 1889 peint en vert.

Acheté à l'artiste à l'Exposition universelle de 1889 pour la somme de 500 francs, entré au musée en octobre 1890
Inv. 5695

COUPE
1890

Fernand Thesmar, 1843-1912

En 1888, Thesmar exécute sa toute première œuvre en émail translucide à jour : une très petite tasse où l'émail est simplement tenu dans un fin réseau d'or. Les fils menus et souples comme une dentelle reçoivent la forme d'une coupe, d'un vase, d'une bonbonnière. Dans ce mince squelette de métal, les émaux sont tenus en suspension par l'action du feu, et transformés par lui en pierres précieuses translucides. Thesmar avait fait ses débuts en 1872 chez Barbedienne qui avait créé chez lui un atelier d'émail. Il se passionne pour l'émail cloisonné, que les artistes français découvrent avec l'arrivée en Occident des objets d'Extrême-Orient et particulièrement du Japon. Il réalise des panneaux et des plateaux au prix d'un épuisant travail en vue d'améliorer sans cesse la technique et d'obtenir les couleurs imaginées. Ses œuvres retiennent l'attention des adeptes du japonisme, Philippe Burty, Coppée, Edmond About. Les trois compositions présentées à l'Exposition de 1878 montrent qu'il est possible de faire un art « bien français » avec un procédé oriental. Les émaux translucides à jour obtenus au bout de journées et de nuits penché sur son four à Neuilly, où il s'est retiré, lui valent l'amitié d'Alfred Morrisson, un collectionneur d'émaux qui l'installe à Londres et lui achète toute sa production. Lorsqu'il revient en France, le Musée des Arts Décoratifs lui achète deux coupes ornées de fleurs sous une frise de lambrequins (inv. 5932 et 5933) et quelques mois plus tard, début 1891, cette coupe à décor d'arcatures polylobées, jaune d'or sur un fond bleu sombre, profond comme une nuit d'Orient, piqueté de fleurettes et de petites feuilles blanche et jaune. Au Salon de 1892, ouvert depuis un an seulement à l'art décoratif, il présente treize émaux transparents et, parmi eux, une coupe tout à fait semblable, mais où les fleurs de trèfles courbées dans les arcatures se détachent sur un fond blanc (cat. n° 94). En 1893, il réussit une nouvelle prouesse technique, cloisonner des émaux translucides sur porcelaine tendre.

Or et émail translucide à jour polychrome
H. : 0,045 m. D. : 0,094 m
Monogramme de Thesmar incorporé dans
le décor, sous la pièce
Acheté à l'artiste pour la somme de
1 500 francs en février 1891
Inv. 6269

148

TÊTE DE FAUNE
vers 1890-1891

Jean CARRIÈS, 1855-1894

« La *Tête de faune* [...] est une chose vaguement déchirante, d'une pénétration de mélancolie, d'apaisement peut-être, de douleur calmée, qui n'appartient pas aux expressions habituelles de la sculpture, toujours arrêtées et définissables, si compliquées ou si légères qu'elles soient. L'irrégulière construction de cette longue tête penchée, aux yeux clos, construction ainsi déformée volontairement et instinctivement, et accentuant un caractère qui n'est tout à fait ni de souffrance, ni de repos, ni de sommeil, ni de mort, est une des plus inquiétantes pièces de l'œuvre de Carriès et une des plus troublantes de l'art moderne. Il est impossible et inutile de dire à quoi cela tient. » (Arsène Alexandre, *Jean Carriès, imagier et potier*, Paris, 1895, pp. 93-94.) La *Tête de faune* est exceptionnelle, à plus d'un titre, dans l'œuvre de Jean Carriès, ce sculpteur qui s'installe en 1888 à Saint-Amand-en-Puisaye, centre traditionnel de poterie en grès pour retrouver le secret des émaux japonais découverts à l'Exposition universelle de 1878, à Paris. Il s'agit en effet d'une sculpture exécutée en cire (*cf.* Alexandre, *op. cit.*, n° 8, p. 190), en bronze (p. 203), avant d'être réalisée en grès, dans une terre ferrugineuse recouverte d'émaux mats, à base de la terre dont est faite la pièce. Par cette impression de souffrance apaisée si bien décrite par Arsène Alexandre, elle appartient à l'évocation d'un monde qui l'avait ému dans son enfance; « Ce sont des souvenirs, des visions, des craintes ou des tendresses fidèles. »

Grès émaillé
H. : 0,305 m
Signé sous couverte à la base du socle :
Carriès J.
Don Charles Soubiran, 1939
Inv. 34361

VITRAIL « AUX PAONS »
1895

Carton de Paul Albert BESNARD, 1849-1934, exécution Henri CAROT

Parmi les acquisitions publiées en juillet 1895 par la *Revue des Arts décoratifs*, figure ce vitrail « exécuté par M. Henri Carot, peintre-verrier à Paris d'après l'un des cartons composés par M. Paul Albert Besnard, pour l'École supérieure de pharmacie, à Paris » (*R.A.D.*, t. XV, 1894-1895, Paris, p. 447). Il est ainsi décrit : « sous une arcade cintrée, un paysage aquatique dans lequel se trouvent des flamants au bord d'un cours d'eau entouré de roseaux, et deux paons penchés sur un arbre ».

Il devait faire partie d'un ensemble décoratif commandé à Besnard pour l'Ecole de pharmacie et dont quatre panneaux — la Maladie, la Convalescence, la Cueillette des simples, le Laboratoire — sont réalisés à son retour de Londres, de 1883 à 1886 et destiné à un vestibule « assez mal éclairé par des vitraux de mauvais goût, qu'on projeta de remplacer par des vitraux commandés à l'artiste, mais qui sont toujours restés en place » (Camille Mauclair, *Albert Besnard, l'homme et l'œuvre*, Paris, 1914, p. 32). Le thème et le traité synthétique du carton « Aux paons » s'accordaient aux paysages « préhistoriques » venus compléter la décoration générale. Réalisé en 1895, l'année où le Musée des Arts Décoratifs en fait l'acquisition d'Henri Carot, ce vitrail est une œuvre de peintre; c'est un vitrail-tableau, une notion qui s'impose après 1850 dans le but de redonner vie à une expression plastique qui s'épuisait dans les emprunts au passé. A la fin du XIXe, début XXe siècle, le vitrail monumental retrouve « sinon une âme, du moins un esprit dans les édifices civils à travers des œuvres de peintres » (*cf.* François Mathey, *Le Vitrail français*, Éditions des Deux-Mondes, Paris, 1958, p. 293).

Verre et plomb
H. : 3,12 m. L. : 2,49 m
Signé et daté en bas à droite : Henri Carot/
d'après/ A. Besnard/ 1895
Acheté à Henri Carot pour la somme de
2 000 F, le 10 juillet 1895
Inv. 8207

HANAP « LES MÉTIERS D'ART »
1896

Lucien FALIZE, 1842-1897, composition de la frise par Luc-Olivier MERSON

L'orfèvre Lucien Falize est le promoteur de l'émail d'orfèvre, longtemps sacrifié à l'émail de peintre : en 1868, il emploie les émaux cloisonnés dans ses bijoux et dès 1878, avec le père Routier, émailleur de sa maison, il réinvente l'émail de basse-taille, délaissé depuis la fin du XVe siècle. A la suite de l'Exposition universelle de 1889 où Falize présente un triptyque *Les Trois Couronnements* réalisé en émail de basse-taille sur or fin, et sur proposition de son président, l'Union centrale des Arts décoratifs lui demande de réaliser un émail pour le musée, tout en lui laissant une entière liberté sur le choix de la forme et du thème. A l'instar des anciennes corporations, l'orfèvre résolut de faire un gobelet d'or dans lequel le président de l'Union centrale boirait aux jours de fêtes, d'où les deux idées maîtresses du décor : la vigne et les métiers. Sur une feuille d'or emboutie, le graveur Pye champlève, sur fond émaillé rouge, les vignes dessinées par Cantel. Aux deux tiers de la hauteur, une frise en émail de basse-taille par Tourrette, d'après les dessins de Luc-Olivier Merson, reproduit des artisans de la Renaissance, à travers les divisions adoptées par l'Union centrale lors de ses expositions : la pierre, le bois, la terre, le métal, le verre, le tissu, le papier, le cuir. Le métal modelé par Pye et Heller est recouvert d'un émail transparent laissant apparaître le fond d'or fin. A l'intérieur du gobelet, Falize grave autour de l'ouverture des petites fleurs retenues par un ruban : œillet, myosotis, violette, marguerite, bouton d'or, muguet. Le décor du couvercle évoque l'Union centrale à travers son emblème, un rameau de chêne entouré de feuilles de laurier tandis que des cartels résument son programme : Art, Science et Métier. A l'intérieur du couvercle, sont sculptés ou gravés les noms des différents présidents de la société. Sous la base, l'orfèvre s'est représenté en costume de la Renaissance tenant le gobelet et donnant des instructions au graveur Pye.

En véritable virtuose, Falize rassemble ici trois parmi les plus importantes techniques de l'émail : émail champlevé, émail de basse-taille et émail cloisonné et il ne fallut pas moins de quarante mises au feu pour le fixer. Certains de ses contemporains lui reprochèrent le côté rétrospectif de la frise, mais tous furent sensibles à la qualité et à l'harmonie de cette œuvre.

Or et émail
H. : 0,223 m. H. sans couvercle : 0,165 m
D. ouv. : 0,089 m
D. base : 0,066 m
Inscriptions : L'AN/ MDCCCXCV/ , LUC. FALIZE ORF./ ET EM.PYE GRAV./ ONT FAIT CE VASE/ D'OR A L'EXEMPLE/ DES VIEUX/ MAÎTRES; à gauche : HELLER Sc.;

en haut de la frise : LVC. OLIVIER MERSON/PINXt
Poinçons : or, 1er titre Paris, depuis 1838; petite garantie, or, Paris, depuis 1838; poinçon de fabricant
Acheté à Lucien Falize en 1896
Inv. 8504

PENDENTIF « LE RÉVEIL »
1900

Paul VEVER, 1851-1915, et Henri VEVER, 1854-1942

Paul et Henri Vever représentent la troisième génération d'une famille de bijoutiers, joailliers et orfèvres. Leur père Ernest transfère à Paris en 1871 la maison que leur grand-père Pierre-Paul Vever avait créée à Metz en 1821, et reprend le fonds de Baugrand mort pendant le siège de Paris, réunissant ainsi sa vieille fabrique de province à celle du célèbre joaillier parisien. En 1874, Paul Vever sort de Polytechnique et Henri a presque terminé sa formation artistique lorsque tous deux deviennent les collaborateurs de leur père. A ce titre, ils participent à la préparation de l'Exposition universelle de 1878 avant de prendre la direction de la maison en 1881 lorsque Ernest Vever se retire des affaires. Les deux frères vont donner une nouvelle impulsion à l'entreprise familiale, abandonnant les styles historiques chers à leur père pour une inspiration plus naturaliste qui leur vaudra l'un des deux grands prix attribués à la joaillerie lors de l'Exposition universelle de 1889. A l'Exposition universelle de Paris en 1900, ils seront parmi les tenants de l'Art nouveau inauguré dans le domaine de la bijouterie par René Lalique. A l'issue de cette manifestation, les frères Vever se voient décerner un grand prix pour l'ensemble de leur présentation mais plus spécialement pour la joaillerie, domaine dans lequel ils détiennent la première place pour avoir su concilier tradition et nouveau courant naturaliste.

La participation de la maison Vever comprenait également une vingtaine de pièces réalisées par la maison d'après des dessins d'Eugène Grasset (1845-1917) et de nombreuses pièces de bijouterie, pleines d'harmonie et d'équilibre, dues sans aucun doute à l'invention d'Henri Vever, parmi lesquelles ce pendentif « Le Réveil » symbolisé par une femme nue, sculptée dans l'ivoire, s'étirant tandis que ses longs cheveux émaillés de vert forment autour de son corps une sorte de mandorle. Léonce Bénédite résume bien l'impression générale que le public ressentit à l'Exposition universelle : « Lalique d'une part, Vever de l'autre, ces deux noms pourraient nous suffire pour représenter tout l'effort proclamé par l'Exposition universelle dans l'art du bijou. » (Bénédite, « Le Bijou à l'Exposition universelle », *Art et Décoration*, 8, 1900, p. 78).

Or, ivoire, brillants,
perle baroque et émail
H. : 0,095 m. L. : 0,036 m
Inscription : Vever Paris 1900 2408;
poinçon : petite garantie or Paris depuis
1838
Don Henri Vever, 1924
Inv. 24524

VASE HIPPOCAMPES
1901

Emile GALLÉ, 1846-1904

Emile Gallé, après les précurseurs que furent J.P. Brocard et E. Rousseau, domine de sa personnalité la création verrière du dernier quart du XIXᵉ siècle. Son père, Charles Gallé, dirige à Nancy des ateliers de décor sur verre et céramique et lui transmet en 1874 la responsabilité artistique de ces derniers. Aux créations de faïences et de verre, Gallé ajoutera les travaux d'ébénisterie ce qui autorisera un grand critique et collectionneur de l'époque à le qualifier « d'homo triplex ». Dès lors, les nombreuses expositions nationales et internationales rythment sa période de création de 1878 à 1904 et lui permettent de mettre en valeur ses recherches techniques et formelles.

A une inspiration puisée dans l'histoire de la verrerie et des arts décoratifs (émaux arabes, pierres dures renaissance, art japonais, etc.) succèdent des thèmes en harmonie avec sa passion de la nature, de la poésie et des recherches scientifiques de son époque.

Ce vase prouve la variété des techniques de colorations, de mise en forme et de traitements de surface que Gallé maîtrise dans la réalisation d'œuvres symboliques.On connaît des études en verre qui précédèrent la fabrication du modèle définitif de ce vase.

Passionné de botanique, Gallé suit également les progrès de la jeune science de l'océanographie et les découvertes sur l'exubérance cachée des fonds sous-marins.

Si la vérité ou plutôt l'exactitude de l'observation scientifique est chère au cœur de Gallé, c'est à une vérité sociale et politique qu'il fait référence avec la sentence *Vitam impendere vero* (consacrer sa vie à la vérité). Artiste aussi bien que chef d'une importante entreprise, Gallé est un homme qui prend parti dans la vie publique de son époque; à l'homme politique qui fit campagne pour la révision du procès Dreyfus et écrivit son histoire, il dédicaça cet objet.

Verre polychrome modelé à chaud et patiné. Décor appliqué et ciselé à la roue : deux hippocampes et corail
H. : 0,19 m
Inscription gravée sur la panse : Vitam impendere vero

Dédicace et signature gravées sous la pièce : Joseph Reinach, Emile Gallé 1901
Legs Joseph Reinach, 1925
Inv. 24556

PIANO
1903

Louis MAJORELLE, 1859-1926 et Victor PROUVÉ, 1858-1943

Il s'agit d'un piano demi-queue Erard, réalisé par Louis Majorelle à Nancy, avec le concours du peintre Victor Prouvé. Peintre, revenu dans l'atelier d'ébénisterie paternel en 1879, Majorelle s'engage dans une voie nouvelle à la suite des succès remportés par son compatriote Emile Gallé à l'Exposition universelle de 1889, à Paris. En 1900, il expose une chambre à coucher et une salle à manger « Nénuphar » qui assurent sa réputation en tant que créateur Art nouveau. Son style s'accommode de formes robustes, de marqueteries hautes en couleurs et d'appliques de bronze doré, souvenirs de son passé éclectique.

Il réalise avec Victor Prouvé plusieurs pianos, dont deux appartiennent à des collections publiques françaises. Un troisième exemplaire se trouve dans une collection privée aux Etats-Unis. Le piano du musée de l'Ecole de Nancy s'inspire du thème de *La Mort du cygne*, 1905. Celui du Musée des Arts Décoratifs tire ses décors de la *Chanson de l'homme au sable* de Richepin, dans *Par le glaive* :

> Chantez la nuit sera brève.
> Il était une fois un vieil homme tout noir,
> Il avait un manteau fait de rêve
> Un chapeau fait de brume du soir.
> Chantez la nuit sera brève.

Ces vers inscrits en marqueterie sur le dessus du piano sont entourés de branches de pins, que l'on retrouve sculptées sur les encadrements, le couvercle du clavier et le piètement. Trois scènes illustrent le poème de Richepin sur la ceinture : une mère couche son enfant, l'enfant s'endort, l'enfant est emporté dans le rêve.

Le piètement, identique à celui du piano *La Mort du cygne* est « très Majorelle », robuste, creusé de profondes moulures, composé de quatre pieds en porte à faux reliés par une forte entretoise.

Acajou massif sculpté et marqueterie
H. : 1,06 m. L. : 2,16 m. l. : 0,86 m
Signé et daté : V. Prouvé 1903
Don Louis Majorelle, 1919
Inv. 21522

GUÉRIDON
vers 1904

Hector GUIMARD, 1867-1942

Ce guéridon a été dessiné par Hector Guimard pour l'hôtel qu'il construit en 1905 pour M. et Mme Léon Nozal. Les premiers plans, datés de 1902, rompent avec la conception de symétrie classique et organisent les pièces d'habitation, de dessin libre, non orthogonal, autour d'un hall et d'un escalier central, analogues au parti adopté par Gaudi pour la Casa Milá à Barcelone (1906-1910). Ils ne sont pas réalisés, peut-être en raison de la mort, fin 1903, de leur fils Paul Nozal qui était un ami de Guimard. Dans les plans de 1904-1905, Guimard est revenu à un plan symétrique, à une élévation presque classique. Les détails d'ornement et l'aménagement intérieur, qui ne sera jamais tout à fait terminé, sont caractéristiques de l'évolution du « style Guimard » autour de 1904 vers un certain maniérisme. Lors de la transformation de l'hôtel en 1937, puis en 1955, Mme Pézieux, fille de Mme Léon Nozal, donne au musée une partie du mobilier dessiné par Guimard : la chambre à coucher (inv. 32644 à 32649) et quelques meubles et objets isolés, dont ce guéridon.

Bien qu'inspiré d'un type de mobilier traditionnel, le guéridon à trois pieds, le meuble dessiné par Guimard est totalement neuf dans sa conception formelle et la manière dont il contraint le bois à devenir tige végétale ou drapé. Le plateau, trapézoïdal, légèrement incliné, se creuse dans les plis du bord relevé. L'un des pieds, tendu comme un arc, s'ouvre en deux pour supporter le petit côté du plateau et envoie deux traverses consolider les deux autres pieds qui s'évasent en sabots au contact du sol. Des volutes et crosses finement sculptées nouent les deux angles relevés du plateau et créent un bouillonnement végétal autour de l'ouverture du pied principal. Ce guéridon défie les lois de la menuiserie. Le bois est à la fois soumis à la rigueur d'une construction architecturale et à la fantaisie d'une ligne qui cerne le plateau, court le long des pieds et des traverses, parfois tendue, puis souple soudain, précise et imprévue, unique et multiple. Guimard possédait dans son hôtel de l'avenue Mozart un guéridon analogue, d'un traité cependant moins nerveux. Celui-ci est actuellement au Museum of Modern Art de New York. L'un et l'autre sont des œuvres importantes pour la compréhension de l'art de Guimard, à la fois architecte et dessinateur.

Poirier moulé et sculpté
H. : 0,765 m. L. : 0,53 m. l. : 0,46 m
Signé sur le plateau : Hector Guimard
Don Mme Pézieux au nom de Mme Léon
Nozal, 1937
Inv. 32650

PENDENTIF « HIRONDELLES »

vers 1906-1908

René LALIQUE, 1860-1945

Rénovateur du bijou, René Lalique expose au Salon de la Société des artistes français en 1895 ses premières tentatives d'un art nouveau qui puise aux grandes sources de la nature et de la tradition. Lalique sait s'inspirer des plus anciennes civilisations, prenant à l'art égyptien ses pectoraux hiératiques, ses scarabées, aux Assyriens leur cylindre de jade et de cornaline et à la Renaissance ses représentations féminines. Cependant, c'est à la nature qu'il porte son culte le plus fervent : sa préférence va à la fleur, de la plus modeste à la plus aristocratique, mais il ne dédaigne pas non plus les fruits et les arbres. Les animaux, les oiseaux, les insectes aussi font partie de son répertoire décoratif : sauterelles, hirondelles, abeilles. Techniquement, il sait unir et confondre les arts délicats du joaillier, de l'orfèvre, de l'émailleur, du graveur. Comme les procédés, il mêle toutes les matières : pierres, perles, ivoire, émaux, métaux de toutes sortes aux patines variées. Il est le premier à utiliser dans la parure, le verre, la corne et des pierres jusqu'alors négligées, n'utilisant souvent le diamant que pour souligner un effet. Son art est avant tout un art d'imagination, de sentiments et de poésie où la technique et les matières sont soumises à l'expression d'une idée. Le pendentif « Hirondelles » en émail et or illustre parfaitement une partie de la production de Lalique : à côté de pièces exceptionnelles, même fantastiques, telles qu'en conserve le musée Gulbenkian à Lisbonne, Lalique a su créer des œuvres très naturalistes, plus précieuses par leur délicatesse formelle et technique que par la richesse des matières employées. C'est en 1914 que Lalique abandonne définitivement le bijou pour le verre.

Or, émail, brillants
H. : 0,06 m. l. : 0,105 m
Inscription gravée : Lalique
Don Mme Desmarais, 1983
Inv. 54422 A

L'USINE DE LA FERTÉ-SOUS-JOUARRE
1911

Roger de la Fresnaye, 1885-1925

Présentée au Salon d'automne de 1911, cette toile fut peinte par La Fresnaye lors d'un de ses séjours à la Ferté-sous-Jouarre en même temps qu'une série de paysages; c'est l'époque où l'ancien élève de Sérusier et de Maurice Denis à l'académie Ranson découvre Cézanne. Son goût de la discipline est séduit par la construction cézannienne, par son souci d'exprimer le volume et le modelé des formes. Il « géométrise » à son tour l'usine de la Ferté-sous-Jouarre, les maisons et le paysage sont exprimés en cubes, en cônes, en cylindres, mais la palette est réduite aux terres, aux bleus et aux verts éteints. La Fresnaye se rallie par là au cubisme dont il se sépare pourtant en y introduisant la synthèse.

Ce tableau appartenait au peintre Paul Véra (1882-1957), ami de La Fresnaye. L'un et l'autre faisaient partie du Groupe de Puteaux avec Villon, Duchamp-Villon, Metzinger, Gleizes, Marie Laurencin, qui présente avec André Mare (1887-1932), au Salon d'automne de 1912 *La Maison cubiste* : derrière une façade conçue par Raymond Duchamp-Villon, une maison bourgeoise, de type traditionnel, où les formes s'inspirent de la géométrie cubiste.

Huile sur toile
H. : 0,58 m. L. : 0,71 m
Don André Véra en souvenir de son frère
Paul Véra, 1959
Inv. 38271

VASE
vers 1912-1913

Jean Dunand, 1877-1942

Au Salon des artistes décorateurs de 1913, Jean Dunand expose un ensemble de vases décorés par le procédé de l'incrustation. Ses premiers essais remontent vraisemblablement autour de 1907-1908. Le procédé de l'incrustation n'est pas courant lorsqu'en 1909, Roger de Félice consacre à Dunand un article important dans la revue *L'Art décoratif* (t. XX, janvier-juin 1909, pp. 11 à 18). Les problèmes de volumes priment encore dans les recherches du dinandier qui n'a pas abandonné la sculpture, son premier métier appris dans l'atelier de Jean Dampt. Dans l'envoi au Salon de la Société nationale en 1910, figure « un vase plomb repoussé et étain incrusté » (cat. p. 344). En 1913, si l'on en juge par l'envoi aux Artistes décorateurs, la technique est parfaitement au point et tend à supplanter le relief. Les deux techniques, qui correspondent à des répertoires différents, l'un hérité de l'Art nouveau, l'autre mettant à profit les apports neufs que sont le cubisme et l'Art nègre, coexistent dans le grand « Vase aux serpents », incontestablement le clou de la présentation de Dunand (*cf.* Exposition du cinquantenaire de l'Exposition de 1925, Paris, 1976-1977, cat. n° 418). A ses côtés, figure le vase aux plumes de paon acquis par le Musée des Arts Décoratifs, dans les locaux duquel se tient le Salon. Trois plumes de paon sont incrustées en argent sur le vase en cuivre, dont la forme est inspirée d'une coloquinte étirée qui aurait subi un mouvement en torsion. Ce décor, ainsi que celui des fougères qui s'appliquent en argent sur un vase analogue exposé au même Salon, appartient encore au monde ornemental de l'Art nouveau. Nous sommes au moment où Jean Dunand affirme son style propre : il a découvert un an plus tôt l'utilisation par les Japonais de la laque en tant que patine du métal, une voie riche de promesses et jalonnée de chefs-d'œuvre.

Cuivre repoussé, patiné et incrusté d'argent
H. : 0,395 m. D. ouv. : 0,060 m
Signature gravée sous le vase : Jean Dunand

Acheté à l'artiste au Salon des artistes décorateurs, pour la somme de 500 F en 1913
Inv. 19140

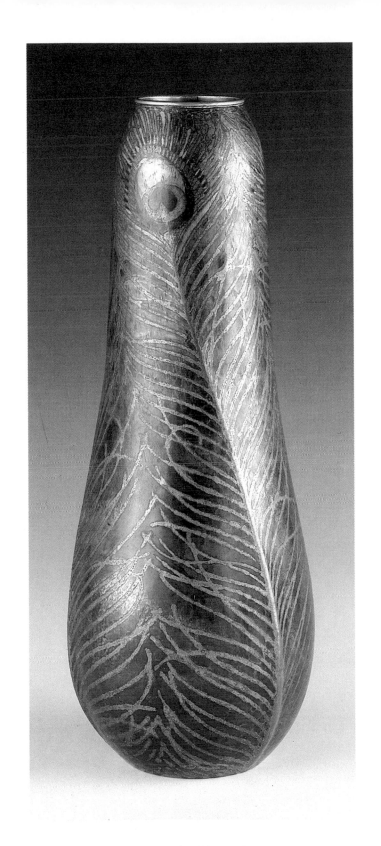

BUSTE DE JEUNE FILLE
1913

Auguste RODIN, 1840-1917

C'est en 1913 que Marguerite Lucy Petit, née à Paris en 1890, fit la connaissance de Rodin chez des amis communs à Meudon. Fille de l'architecte Henry Petit, elle était une remarquable musicienne, interprète de Schumann et de ses contemporains mais, malgré son talent, refusa toute sa vie d'affronter le public des grandes salles. Au printemps de cette année-là, Rodin décida de faire son buste, après avoir fait quelques croquis d'elle interprétant pour lui des œuvres de Bach. Rodin exigea dix séances de pose. Il ne parlait pas ou presque pas, « observant son modèle avec une attention aiguë ». Ce buste est d'une qualité rare, qui tient à la fois à la maîtrise de Rodin dans l'art du portrait à la fin de sa vie et au modèle. Rodin fut touché par la beauté de Marguerite Petit, par la grâce de l'attitude et la qualité de l'attention de la jeune fille, penchée sur le clavier, le visage clos au monde, essentiellement ouvert à la musique qu'elle suscitait de ses doigts. A partir de 1890, Rodin va à l'essentiel, négligeant toute anecdote vestimentaire ou autre, ne s'intéressant plus qu'au caractère du modèle. Il existe plusieurs exemplaires de ce buste, non numérotés, sans doute réalisés par Rudier. Celui-ci, donné par la famille du modèle, a une belle patine sombre et dense en accord avec l'attitude méditative de la jeune pianiste.

Bronze patiné, socle de marbre
H. : 0,60 m. L. : 0,39 m. l. : 0,29 m
Signé A. Rodin
Don famille Loynel d'Estrie, 1984
Inv. 54563

COIFFEUSE
vers 1920-1922

Armand-Albert RATEAU, 1882-1938

En 1920, au retour de la guerre, Armand Rateau se voit confier par la couturière Jeanne Lanvin l'aménagement de son hôtel particulier 16, rue Barbet-de-Jouy. Cet ancien élève et disciple de Georges Hoentschel — le décorateur du pavillon de l'Union centrale des Arts décoratifs à l'Exposition de 1900 — se situe à part des courants des années 20, que ce soit le traditionalisme de Ruhlmann, Groult, Süe et Mare, ou le modernisme de Chareau, Pierre Legrain, Mallet-Stevens. Il se fiait à sa culture et à son imagination, intégrant l'Antiquité, l'Orient, les motifs zoologiques et végétaux dans un univers décoratif totalement personnel. Il partageait avec Jeanne Lanvin le goût de la qualité et des matériaux rares, à tel point qu'elle lui confia une entreprise de décoration, faubourg Saint-Honoré, en même temps qu'il installait son hôtel. Lorsque fut décidé sa démolition en 1965, le prince Louis de Polignac proposa au Musée des Arts Décoratifs l'installation complète, y compris l'ameublement, des appartements privés de Jeanne Lanvin : la chambre à coucher, le boudoir et la salle de bains.

Cette coiffeuse fait partie de l'ameublement de la chambre, devant une glace claire qui la sépare du boudoir. Elle est en bronze patiné vert antique — un goût rapporté d'un voyage à Naples en 1914. Le plateau de marbre noir et blanc, sous lequel coulisse un tiroir, est porté par quatre pieds fuselés terminés en fleur de lotus et couronné de marguerites. Un miroir double face, mobile à l'intérieur d'un cercle mouluré et perlé, repose sur deux faisans adossés de part et d'autre d'une marguerite. Trois marguerites portant des ampoules alternent avec des papillons sur le cadre du miroir. Le thème de la marguerite est le leitmotiv ornemental de la chambre, brodée sur les tentures, sculptée sur les plinthes et les encadrements de portes, tendre évocation de Marguerite, la fille de Jeanne Lanvin, associée à l'image de sa mère sur l'emblème de la maison Lanvin.

Bronze patiné en vert antique et marbre
H. : 1,52 m. L. : 0,92 m. P. : 0,525 m
Don prince Louis de Polignac, en
souvenir de la comtesse Jean de Polignac, fille de Jeanne Lanvin, 1965
Inv. 39907

CABINET « ÉTAT RECT »
1922-1923

Emile-Jacques Ruhlmann, 1879-1933

Lorsque Ruhlmann vendait un meuble, il l'accompagnait d'un certificat spécifiant le nom et le numéro du modèle, le numéro de l'exemplaire, le nom et l'adresse du propriétaire, l'atelier où il avait été exécuté — A ou B — et la date de l'achèvement. Ces informations étaient complétées par une description technique et une reproduction des marques — signature et atelier — avec leur position sur le meuble. Le cabinet de l'ancienne collection d'Edouard Rasson, entré au musée en 1969, n'était pas accompagné de son certificat. Mais on peut supposer qu'il fut commandé à peu près à la même époque que le bureau « Ambassadeur » terminé par Ruhlmann en février 1923 pour l'habitation de Rasson à Roubaix (inv. 38661). Nous connaissons plusieurs versions de ce meuble, soit en encoignure — dite « État d'Angle » — soit de section rectangulaire comme l'exemplaire de la collection Rasson. La version « État d'Angle » est la plus ancienne et remonte à 1916 (réf. 1521 AR/2233 NR) : c'est une encoignure en loupe d'amboine portant ce décor, exceptionnel dans l'œuvre de Ruhlmann, d'une vasque fleurie marquetée d'ivoire et d'ébène (*cf.* Florence Camard, *Ruhlmann*, Éditions du Regard, 1983, p. 271). Le modèle rectangulaire « État Rect » est exposé pour la première fois au Salon d'automne de 1922. Le Metropolitan Museum de New York commande à Ruhlmann un modèle semblable à l'Exposition de 1925.

Le cabinet de la collection Rasson oppose un vase sombre, en ébène macassar, à la chaude couleur de l'amarante qui recouvre le vantail et l'ensemble du meuble. Ruhlmann reproduisait le même modèle en plusieurs exemplaires, mais variait les bois et leurs rapports. L'exécution est raffinée, parfaite, comme pour tous les meubles sortant des ateliers de Ruhlmann, qui se réclame de la grande tradition de l'ébénisterie du XVIIIe siècle. Il s'adresse à l'« élite », seule capable, selon lui, d'imposer l'art décoratif français moderne : « Cette clientèle fortunée, et qui donne le ton, ne se soumettra volontiers à l'idée moderne que si elle peut trouver chez certains meubliers ou décorateurs, des œuvres rares et précieuses, inaccessibles à la classe bourgeoise » (*cf.* André Fréchet, « J. Ruhlmann », *Mobilier et Décoration d'intérieur*, février-mars 1924, p. 9).

Placage d'amarante, ivoire et ébène macassar
H. : 1,26 m. L. 0,85 m. P. : 0,32 m
Estampille au dos du meuble, sur la traverse centrale : Ruhlmann

Don Mmes Albert et Raymond Wattinne, suivant la volonté de leur père Edouard Rasson, 1969
Inv. 42786

MEUBLE D'APPUI
vers 1923

Pierre LEGRAIN, 1889-1929

Au lendemain de la fameuse vente de sa collection du XVIIIe siècle en 1912, le couturier Jacques Doucet s'installe un nouvel appartement avenue du Bois où il fait travailler les décorateurs Paul Iribe (1883-1935), Pierre Legrain, et le sculpteur Joseph Csaky (1888-1971). Il adopte un parti résolument moderne en accord avec les toiles de Cézanne, Van Gogh, Manet, Berthe Morisot qui ont remplacé sur ses murs les maîtres du XVIIIe siècle. Il trouve en Pierre Legrain un interprète privilégié de ses goûts tant dans les reliures qu'il lui commande à partir de 1917 que dans ces meubles qui seront la base de l'ameublement du studio 33, rue Saint-James, à Neuilly, où il emménage à partir d'août 1928, un an avant sa mort. Legrain partage avec Doucet le goût des matières rares et inhabituelles et peut donner libre cours à ce sens sculptural des formes qui confère un caractère neuf aux meubles qu'il dessine. « L'imagination de Legrain s'est complue en des rêves fastueux vers lesquels l'orientaient les prédilections de celui à qui ce mobilier était destiné », écrit Gaston Varenne en 1924. « L'art de l'Extrême-Orient paraît s'y être accouplé avec le cubisme le plus moderne. Des formes géométriques appliquées à la poursuite de fines pratiques aboutissent à des volumes, à des profils, auxquels rien ne se peut comparer dans l'histoire du mobilier. [...] La matière est magnifique. L'ébène naturel sculpté ou uni est associé à l'argent ou à l'or, à l'acier, à la nacre. Il se pare d'émaux ou de laques grâce à la collaboration de Miklos ou de Dunand... » (« Quelques ensembles de Pierre Legrain », *L'Amour de l'art*, 1924, pp. 406, 407).

Ce meuble d'appui, exposé au Salon des artistes décorateurs en 1923, est reproduit dans l'article de *Fémina* consacré à « Un temple de l'art moderne — l'appartement de M.J.D. » en février 1925. Il est à la fois sévère et raffiné. Sévère dans sa forme rectiligne, ses trois pieds anguleux qui prolongent les montants latéraux et le dormant central, dans le placage de chêne teinté qui couvre les vantaux incurvés. Il est raffiné dans la teinte argentée de l'intérieur, l'or qui recouvre le dessus d'acier et dans ces figures d'ivoire et acier sur fond d'or qui évoquent les sculptures de Joseph Csaky vers 1922-1923. Jacques Doucet avait commandé en 1923 une armoire à Csaky (*cf.* François Chapon, *Mystères et Splendeurs de Jacques Doucet, 1853-1929*, Paris, 1984), actuellement au Musée des Arts Décoratifs (inv. 38150).

Placage de chêne teinté, acier doré et ivoire
H. : 1,12 m. L. : 1,44 m. P. : 0,33 m

Don Jean Dubrujeaud en souvenir de Jacques Doucet, 1958
Inv. 38154

PAPIER PEINT
1923

Jean Lurçat, dessinateur, 1892-1966

Dans les années 1920, de nombreux peintres et artistes font bénéficier de leur talent l'industrie du papier peint.

Le peintre Jean Lurçat dessine alors cinq papiers peints récemment entrés dans les collections du musée, dont le modèle reproduit ici.

Ce décor a été commandé par l'artiste meublier Pierre Chareau à l'époque où il avait ouvert boutique. Ce dernier l'utilisa au Salon d'automne 1923 pour tapisser la paroi mobile en éventail et le plafond de la pièce qu'il y avait décorée.

Ce même papier peint a été employé au moins une deuxième fois par Pierre Chareau pour l'aménagement du vestibule de Mme J. et, là encore, collé au plafond. Une photographie publiée dans la revue *Arts de la maison* en témoigne.

Pierre Chareau, éditeur
Impression à la planche de bois gravée en relief
Achat, 1985
Inv. 55621

FAUTEUIL DE BUREAU OU BERGÈRE
BUREAU
1925

Pierre CHAREAU, 1883-1950

Membre de la Société des artistes décorateurs, Pierre Chareau se voit confier le soin d'aménager le bureau-bibliothèque de l'ambassade française à l'Exposition des Arts Décoratifs de 1925. Parmi les artistes qui travaillent à la réalisation de ce qui doit être la démonstration de la vitalité de l'art décoratif français, Chareau représente la tendance moderne, avec Robert Mallet-Stevens et Francis Jourdain.

Le bureau-bibliothèque de l'ambassade illustre ce que la journaliste Marie Dormoy — amie d'Auguste Perret et future directrice de la Bibliothèque Jacques Doucet — appelle « [...] le parti "ingénieur-constructeur", contre le parti "coloriste-décorateur". Chareau, écrit-elle, a conçu une pièce sans murs apparents, dont les parois sont entièrement recouvertes de rayonnages interrompus [...] par des plans verticaux. Ce revêtement est fait de bois de palmier d'un grain serré, avec des fibres nettes. Cela forme ainsi une pièce monochrome. Au centre, portée par deux poteaux creux, une coupole servant de réflecteur à une lampe située au centre. Grâce à un dispositif ingénieux dissimulé dans un des poteaux, cette coupole, ne devant servir que le soir pour refléter l'éclairage artificiel, se clôt dans le jour, avec des lames de même bois de palmier se développant en éventail. Le second poteau, se déployant lui aussi, sert à abriter les livres ou papiers précieux » (Marie Dormoy, *L'Amour de l'art*, 1925, pp. 315-316). Au centre de cette boiserie, sont placés le bureau et son fauteuil, sur un tapis dessiné par Jean Lurçat. Le siège, traditionnel dans sa conception, est plutôt une bergère qu'un fauteuil de bureau. Le bois des bras apparent s'évase au contact des supports dans le prolongement des pieds antérieurs quadrangulaires à base élargie (*cf.* Marc Vellay/Kenneth Frampton, *Pierre Chareau architecte-meublier, 1883-1950*, 1984, p. 125 repr., modèle MF 208, 217). Conçu pour l'ambassade française, le bureau est à la fois précieux et fonctionnel. Le dessus est, à l'exception de la partie centrale, construit en plans inclinés masquant des casiers et un classe-lettres mobile gainé de peau et pour éviter que l'on y entasse des papiers ou des livres. Il est porté en avant par deux piles de tiroirs, en arrière par deux armoires décrochées ouvrant sur le côté (*cf.* Vellay/Frampton, *op. cit.*, pp. 126, 127, repr., modèle MB 212).

Palissandre des Indes, garniture cuir moderne
H. : 0,80 m. L. : 0,72 m
Acheté à l'artiste à l'Exposition de 1925 pour la somme de 1 800 francs, entré au musée en août 1926
Inv. 25479

Placage de palissandre sur acajou et chêne, poignées en acier poli
H. : 0,76 m. L. : 1,40 m
l. : 0,77 m
Acheté à l'artiste à l'Exposition de 1925, pour la somme de 1 200 francs, entré au musée en août 1926
Inv. 25480

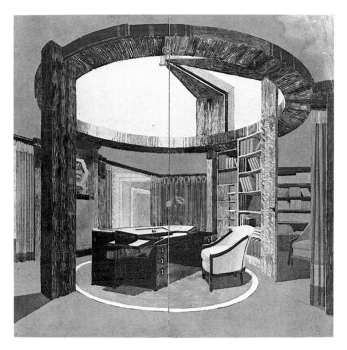

Projet pour le
bureau-bibliothèque
Gouache
INV. CD 2940

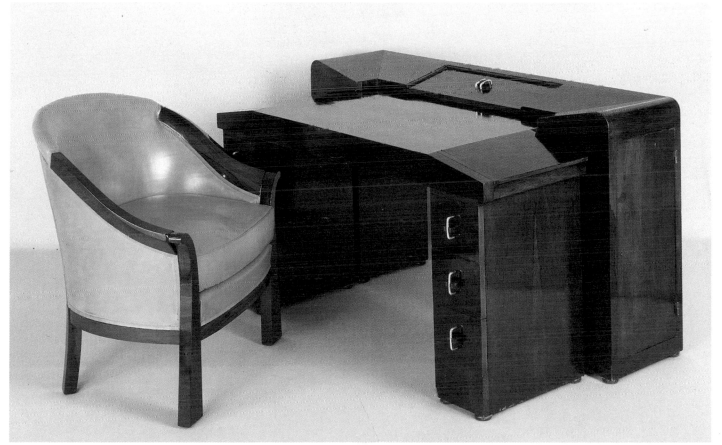

FAUTEUIL
1927

**Dessin de Ludwig Mies Van der Rohe, 1886-1969,
édition Thonet, 1932**

En 1927, Mies van der Rohe construit pour l'exposition du Weissenhof à Stuttgart, ce quartier modèle auquel participent tous les architectes de l'avant-garde européenne, un immeuble d'habitation collectif, dont l'ameublement utilise le tube d'acier chromé, le cuir et le verre. C'est la première fois qu'il présente ces meubles absolument nouveaux dans son œuvre, dont un fauteuil analogue à celui-ci. Son piètement en porte à faux n'est pas une invention de Mies. Il l'a emprunté à l'architecte hollandais Mart Stam qui, lors d'une réunion préparatoire à l'exposition du Weissenhof en 1926, montre un croquis d'un tel siège inventé par lui. Mies l'utilise à son tour pour un fauteuil et une chaise d'un dessin très élégant, garnis l'un et l'autre de cuir noir lacé sous le siège et en arrière du dossier ou de jonc tressé. Fabriqués en petite série par la *Berliner Metallgewerbe Joseph Müller*, à Berlin, de 1927 à 1930, puis par la *Bamberg Metallwerkstätten*, à Berlin en 1931, ils apparaissent dans le catalogue Thonet - n° 3209 - à partir de 1932, accompagnés de cinq autres modèles portant la référence MR, dont l'un, le lit MR 561, est dessiné par son associée Lily Reich. Le fauteuil déposé par le C.N.R.S. au Musée des Arts Décoratifs fait partie d'un ensemble de meubles de bureau acquis chez Thonet par le Salon des arts ménagers. Créé en 1923 par Jules Breton, ce salon se préoccupait de la production industrielle et d'avant-garde. Le choix de son mobilier de bureau s'est tout naturellement tourné vers les éditions Thonet, et les créations de Marcel Breuer, Mies van der Rohe, Emille Guillot.

Tube d'acier chromé et cuir
H. : 0,79 m. H. assise : 0,44 m
L. : 0,52 m. P. : 0,82 m
Modèle MR 534
Dépôt C.N.R.S. - Salon des arts ménagers,
1985

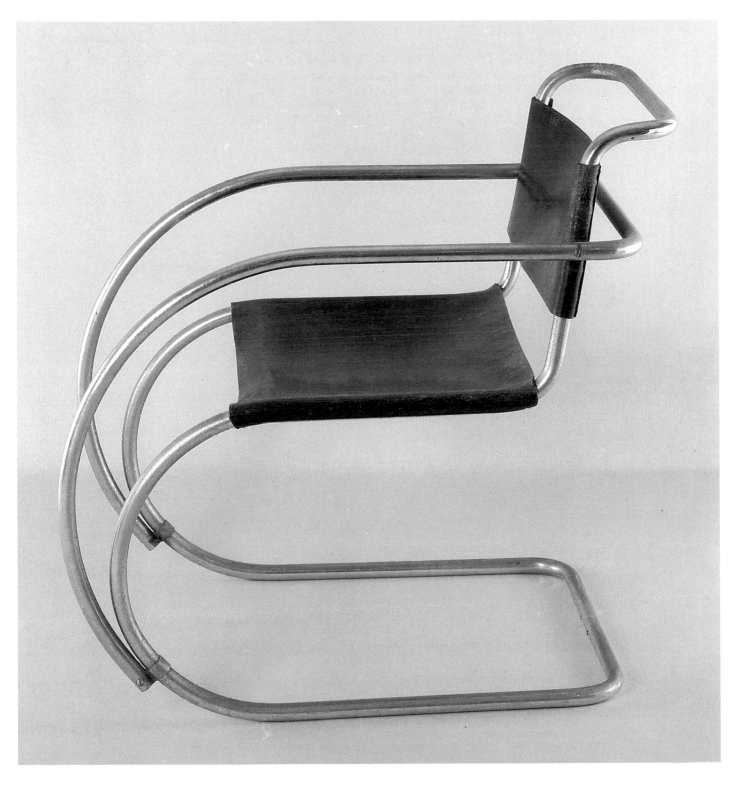

POT A COUVERCLE
1930

Maurice MARINOT, 1882-1960

Une des réflexions les plus fameuses de Maurice Marinot : « La verrerie est un jeu aussi gratuit que la peinture et la sculpture », résume la liberté avec laquelle il a abordé ce domaine de création. De cette liberté, mais aussi grâce à un long et progressif apprentissage technique, sont nés les chefs-d'œuvre qui le placent au premier rang des créateurs verriers de son époque. A trente ans, alors qu'il avait entrepris une carrière de peintre en exposant au Salon d'automne et aux Indépendants, il découvre la verrerie grâce à une visite de la fabrique Viard à Bar-sur-Seine.

Fasciné, il débute son utilisation du matériau par l'application au pinceau de motifs figuratifs en émaux polychromes opaques, sur les parois d'objets qui sont réalisés en verre fin et transparent.

Cependant, pour pouvoir « penser en verre », il s'attachera rapidement à acquérir lui-même les techniques du verre travaillé à chaud.

Avant de maîtriser parfaitement, en 1927, le modelage à chaud, il obtient, par la gravure à l'acide, dont il renouvelle l'approche en attaquant le verre dans son épaisseur, des œuvres plus sculpturales et souvent abstraites.

Dans la variété et la rigueur, une des principales conquêtes de Maurice Marinot est d'avoir inventé, à l'opposé de la légèreté de la verrerie vénitienne, une esthétique du verre soufflé, épais et lourd, dans les parois duquel, grâce à une transparence modulée, toutes les variations de matières et de couleurs sont possibles.

Cette œuvre est un des rares exemples pour lequel Marinot a utilisé, après le travail à chaud qui donne la forme générale et les inclusions de bulles métallisées, la taille à la roue, créant des motifs qui évoquent la « cassure conchoïdale » propre aux matériaux vitrifiés; elle provient d'une des plus importantes collections constituées du vivant de Marinot, comportant 43 verreries réunies par M. et Mme Louis Barthou qui les léguèrent en 1934 au Musée des Arts Décoratifs.

Verre soufflé, inclusions de bulles à reflets métalliques. Polygones concaves, à arêtes vives, taillés à la roue
H. : 0,18 m. D. max. : 0,13 m

Signé sous la base : Marinot et n° 1731
Legs M. et Mme Barthou, 1934
Inv. 32216

MONUMENT A CLAUDE DEBUSSY

première esquisse, 1930

Aristide MAILLOL, 1861-1944

Cette terre cuite est entrée au musée en même temps qu'un marteau de porte en bronze, fondu par Godard, d'après Maillol, pour le pavillon de la maison Fontaine, spécialisée dans la serrurerie décorative, à l'Exposition de 1925. Il est resté la propriété de Jean-Arthur Fontaine, ainsi que cette esquisse identifiée pour nous par Dina Vierny. Il s'agit de la première étude pour le *Monument à Claude Debussy*, à Saint-Germain-en-Laye, réalisée en janvier 1930 et tirée à 4 ou 6 exemplaires. Celle-ci est exécutée en terre du midi de la France, cuite et retouchée par Maillol lui-même, selon Dina Vierny. On peut la comparer aux deux études l'une en bronze, l'autre en terre cuite, reproduites dans le livre de Waldemar George consacré à Maillol (Bibliothèque des Arts, 1977, pp. 193 à 195). Si la position des jambes reste à peu de choses près la même, celles des bras et l'inclinaison de la tête diffèrent. Pour aboutir au monument lui-même où le personnage est à la fois plus ramassé sur lui-même et figé dans un mouvement inachevé (p. 200).

Terre cuite estampée
Monogramme en creux
H. : 0,27 m. L. : 0,23 m. l. : 0,16 m
Legs Mme Jean-Arthur Fontaine, 1969
Inv. 41973

ÉTUI A CIGARETTES

1930

Raymond Templier, 1891-1968

« Les créations de Raymond Templier dans le bijou appartiennent vraiment à notre époque, au même titre qu'un poème de Valéry, qu'une construction de Le Corbusier ou de Mallet-Stevens, qu'une toile cubiste de Braque et de Picasso » (Paul Sentenac, « L'esprit moderne dans les bijoux de Raymond Templier », *La Renaissance de l'art français*, janvier 1932, p. 16). Ce que Sentenac écrivait en 1932 apparaît plus vrai encore aujourd'hui. L'art de Templier s'inscrit en effet totalement dans le monde des années 20, transformé par la vision des peintres cubistes, l'invasion de la machine et de la technologie, enfin le goût du sport et de la vie en plein air. Au cubisme, il emprunte l'ordre et la clarté de conception : chaque composition est soumise à une géométrie sobre et rigoureuse. La machine lui suggère des thèmes, des matières, mais aussi un rythme, créé par la vitesse qu'engendre la machine. Ainsi, parmi les étuis à cigarettes donné par Templier en 1966, certains portent des décors qui, selon le bijoutier lui-même, sont inspirés par une gare et ses voies ferrées vues d'avion (inv. 41072) et, dans le cas de l'étui reproduit, par une machine à écrire. Le motif assez facilement identifiable est répété sur chaque côté selon une symétrie rigoureuse. Vivement coloré et pourtant sobre, raffiné sans cependant faire appel à des matières coûteuses, cet étui correspond à la tendance qui se développe après l'Exposition de 1925, et que l'on retrouve dans les créations de Jean Dunand puis de Jean Després. C'est un bijou d'homme, ou de femme, destiné à la femme ou à l'homme sportif de l'entre-deux-guerres.

Laque rouge et noire sur argent, intérieur en laque noire
L. : 0,128 m. l. : 0,085 m
Poinçon de fabricant; poinçon de petite garantie argent de 1838 à nos jours; n° 7; signé Raymond Templier;

étiquette portant le numéro 16214 et l'inscription net Ω NVB
Don de l'artiste à la suite de l'exposition *Les Années 25*, 1966
Inv. 41071

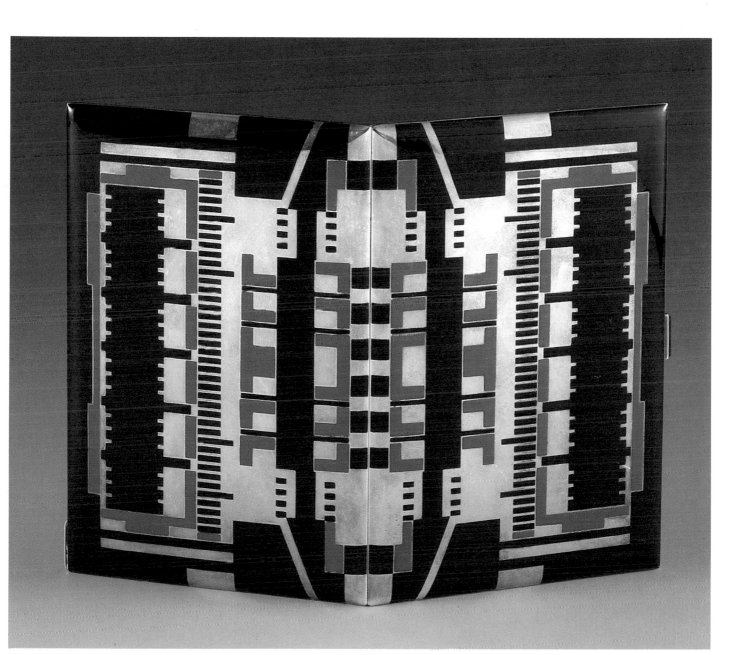

OSTENSOIR
1937

Jean Puiforcat, 1897-1945

Après des études classiques, interrompues par la guerre, Jean Puiforcat entre directement dans l'atelier de son père Louis-Victor, tout en suivant parallèlement les cours du sculpteur Louis Lejeune. Dès 1923, il expose aux Salons des œuvres originales où il aime atténuer la froideur du métal en l'associant aux pierres de couleur : lapis, jade, amazonite, malachite et à l'ébène. Dans une interview recueillie par le critique René Chavance, il définit lui-même ses moyens : « Je renonce à infliger à l'argent et à l'or des contorsions imitées de la nature végétale; j'estime que les jeux de lumière que l'on obtient en ménageant à la surface des pièces d'orfèvrerie, des différences de niveaux, suffisent à l'amusement de l'œil et ont encore pour avantage de mettre en particulière valeur les qualités essentielles de la matière elle-même. » (cf. René Herbst, *Jean Puiforcat, orfèvre, sculpteur*, Flammarion, 1951, p. 29.) Rapporteur aux Expositions internationales de 1925 et 1937, membre fondateur de l'U.A.M., il expose en 1925 dans l'hôtel du collectionneur de Ruhlmann tandis qu'en 1937 un pavillon entier lui est consacré. C'est dans ce pavillon qu'il présente sa célèbre chapelle, aboutissement de douze années consacrées en partie à l'art sacré, à l'étude de la liturgie, des rites et des symboles. Symboles qui se retrouvent dans cet ostensoir en vermeil où la réserve à hosties, entourée de cinq groupes de trois croix grecques, est sertie dans une étoile à dix branches en verre surmontée d'une croix grecque; étoile que l'on retrouve en relief sur la base circulaire, reliée à l'ostensoir par un pied cylindrique orné de deux lignes verticales de festons.

Raymond Templier a su caractériser cette œuvre et tout l'art religieux de Puiforcat qui fut un novateur dans ce domaine de l'orfèvrerie : « Son art était humble et fort. C'est pourquoi son orfèvrerie religieuse est si belle, car elle est humble et forte, c'est la religion même. » (Herbst, *op. cit.*, 1951, p. 31.)

Vermeil, verre
H. : 0,51 m. L. : 0,262 m. D. base :
0,218 m
Inscription : Jean E. Puiforcat

Poinçons : titre, argent, Paris, depuis 1838, poinçon de fabricant
Acheté à la maison Puiforcat en 1948
Inv. 36046

VASE
1938

Raoul Dufy, 1877-1953 et Llorens Artigas, né en 1892

Intéressé par tous les aspects de la création plastique et les techniques qui permettent de l'exprimer, Raoul Dufy se tourne vers la peinture sur céramique lorsqu'il rencontre le céramiste catalan Llorens Artigas, qui lui présente Pacco Durio, un sculpteur et céramiste espagnol. De ces contacts naît une collaboration qui, avec une interruption de 1930 à 1937, se poursuit jusqu'à la guerre. Ensemble, ils créent cent neuf vases, seize *Jardins d'appartements* et environ quarante carreaux de revêtement. Les formes sont mises au point de concert. Puis le céramiste construit la forme, modelée, tournée ou moulée. Après une première cuisson, elle est enrobée d'un émail blanc qui sert de support au décor gravé ou peint par Dufy lui-même. Les couleurs sont révélées lors d'une deuxième cuisson, à haute température (1 300 °).

Dans la production relativement abondante de Dufy et Artigas, le « Vase aux baigneuses » est une heureuse réussite, dans cet accord parfait entre une forme et un décor. Les baigneuses, cernées d'un trait souple et léger qui se confond avec le corps du vase, flottent autour de la panse et de la petite ouverture ourlée qui termine le vase. Les chairs rosées contrastent avec le fond bleu gris sombre traversé de clartés. Le traité est d'un peintre qui connaît les exigences du métier et les maîtrise pour exprimer un sentiment particulier.

Faïence tournée, émaillée
H. : 0,24 m. D. : 0,23 m
Signé et daté sous la pièce : en bleu, Raoul Dufy, Paris et une empreinte digitale; en rose, monogramme d'Artigas (LLA) et une empreinte digitale; dans un cadre rectangulaire en bleu : 13 XII 1938 (et) 101

Don Mme Cuttoli, au musée national d'Art moderne, Centre Georges-Pompidou
Dépôt au Musée des Arts Décoratifs, 1981
Inv. 1250 OA

CHAISE LONGUE
1941

Charlotte PERRIAND, née en 1903

Cette chaise longue est un prototype réalisé par Charlotte Perriand au Japon et destiné à l'exposition *Tradition, Sélection, Création* présentée en 1941 dans les grands magasins Takashimaya à Tokyo et Osaka. Cette manifestation était le « point final » de la mission qui lui avait été confiée début 1940 par le ministère du Commerce et de l'Industrie du Japon, afin d'orienter l'art industriel. Au sein de ce ministère, raconte Charlotte Perriand, « l'institut gouvernemental des recherches pour l'art industriel "Kogei-Shidosho", fondé en 1928, visait à développer principalement les articles d'exportation. Il organisait chaque mois mes visites aux différentes préfectures, aux instituts, aux artisans, aux manufactures, aux écoles d'art pour prendre connaissance des techniques, de leur utilisation à la japonaise, les analyser et donner mes conseils » (*cf.* Charlotte Perriand, *Un art de vivre*, Musée des Arts Décoratifs/Flammarion, Paris, 1985, p. 36). Elle était accompagnée dans ses voyages par Sori Yanagi, aujourd'hui designer de renommée internationale et conservateur du musée d'Art folklorique de Tokyo — le Nihon Mingeikan —, et conseillée par l'architecte Junzo Sakakura, un ami de l'atelier de Le Corbusier. L'exposition des magasins Takashimaya regroupait « en les sélectionnant, tous les produits issus de la tradition ou créés à partir de mes conseils ou de nouveaux modèles à l'occidentale spontanément imaginés sur place » (*cf.* Perriand, *op. cit.*, p. 36). Parmi les modèles occidentaux, un fauteuil d'Alvar Aalto, et la chaise longue créée en 1928-1929 par l'équipe Le Corbusier-Pierre Jeanneret-Charlotte Perriand, transposée dans des matériaux japonais. Sur un piètement en chêne et hêtre teintés, la chaise longue est réalisée en bambou, utilisé non pas tressé, mais en tension.

Chêne, hêtre et bambou
H. : 0,74 m. L. : 1,40 m. P. : 0,52 m
Don Nihon Mingeikan (musée d'Art
folklorique), Tokyo, 1985
Inv. 55644

FAUTEUIL ET POUF
1956

Dessin de Charles EAMES, 1907-1978, édition Herman MILLER

Ce fauteuil et son pouf sont parmi les sièges les plus célèbres créés dans les années qui ont suivi la Seconde Guerre mondiale, et sont restés depuis lors des classiques du mobilier contemporain. Ils ont cette qualité universelle, correspondant à des besoins constants, qui tend à la permanence. Leur créateur, Charles Eames, a joué un rôle essentiel dans l'utilisation de techniques nouvelles, entre autres celles qui furent développées aux Etats-Unis dans l'aéronautique de guerre, dans la réalisation de meubles et surtout de sièges. En 1940, il gagne avec Eero Saarinen, rencontré à l'académie de Cranbrook, Michigan, où il enseigne, le concours du mobilier du Museum of Modern Art de New York. Des techniques tout à fait nouvelles sont mises au point, premier joint métal-bois, courbe complexe des coquilles moulées, qu'il s'attache à affiner au cours des années suivantes, avec l'aide de sa femme Ray. En 1948, il s'attaque au plastique renforcé; Herman Miller édite en 1949 le fauteuil à la coquille en polyester renforcé de fibre de verre, première application de ce matériau à la fabrication de meubles. Les études pour la chaise longue 670-671, commencés en 1955, aboutissent l'année suivante : version contemporaine du fauteuil club traditionnel américain.

Présent aux *Assises du siège contemporain* au Musée des Arts Décoratifs en 1968, Charles Eames est l'un des designers choisis pour répondre à la question : *Qu'est-ce que le design ?* lors de la manifestation d'inauguration du Centre de création industrielle en 1969. Ses recherches, qui vont bien au-delà de la simple création de produits industriels, sont mises en valeur dans sa présentation : « Le client et le designer doivent élargir le champ de leurs préoccupations jusqu'à rencontrer les besoins sociaux. » Très larges sont l'activité et les intérêts de Charles et Ray Eames : allant du jouet au cinéma, à l'architecture et finalement à l'écologie.

Contre-plaqué de palissandre moulé, aluminium, garniture cuir noir
Fauteuil : H. : 0,85 m. L. : 0,83 m
P. : 0,83 m
Pouf : H. : 0,38 m. L. : 0,66 m
P. : 0,53 m
Réf. : 670-671

Signé sous le fauteuil au feutre : Charles Eames (et) un cœur
Acheté à Interform, Mobilier international, en 1966
Inv. 41165 et 41166

196

FAUTEUIL
1963-1965

**Dessin de Joe Colombo, 1930-1971,
édition Kartell, Noviglio, 1965**

Présenté pour la première fois au Salon du meuble, à Milan, en 1965, ce siège n'est plus fabriqué aujourd'hui. C'est un petit fauteuil, bas, constitué de trois pièces de multipli courbé, qui s'emboîtent entre elles sans aucun élément de jonction. Il est recouvert d'un verni résine de polyester orange, mais existait dans d'autres coloris : blanc, noir et vert et pouvait être garni de coussins blancs ou noirs. Joe Colombo aborde le design industriel en 1963, avec une triple formation de peintre, sculpteur, architecte, et une expérience dans le commerce automobile. Sa production est sélectionnée en 1964 pour la XIIIᵉ Triennale de Milan et entre au Museum of Modern Art de New York, ce qui est la consécration. Cinq de ses sièges, dont le fauteuil 801/5, sont présents dans l'exposition *Les Assises du siège contemporain*, au Musée des Arts Décoratifs en 1968. Un an plus tard, l'exposition d'inauguration du Centre de création industrielle : *Qu'est-ce que le design ?* met en scène cinq créateurs, dont Joe C. Colombo. Sa définition du design est représentative de l'attitude de la fin des années 60 : « L'industriel design n'est sûrement pas un style : il est fonctionnel et rationnel. Il est la résolution totale de la problématique interne d'un produit conçu de la façon la plus objective, eu égard à l'emploi auquel il est destiné. Un produit de design doit avoir une signification stratifiée en deux valeurs essentielles : le signifié et le signifiant, la première étant dérivée et fonction directe de la seconde : la forme naît exclusivement du contenu. » A la question : « Le design est-il une expression d'art ? », il répond : « L'idée d'un produit ne naît jamais d'un acte instinctif » (*cf.* cat. *Qu'est-ce que le design*). Cette rigueur dans la conception n'exclut cependant pas une sensualité et un humour qui donnent à son œuvre une couleur personnelle, et un ton qu'il partage avec certains des chefs de file du design italien des années 1960-1970.

Bois contre-plaqué courbé, verni résine de
polyester
H. : 0,60 m. H. assise : 0,41 m
L. : 0,70 m. P. : 0,64 m
Modèle 801/5
Don Kartell, 1968
Inv. 41665

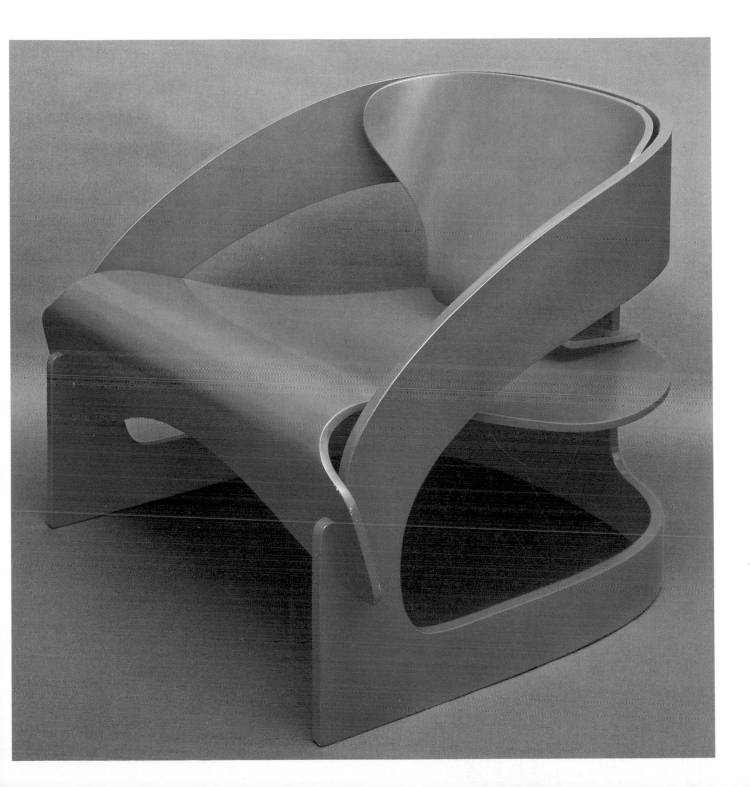

Au sein des collections traditionnelles, la donation qu'a faite Jean Dubuffet en 1967 au musée apparaît encore vingt ans après avec sa charge inchangée de liberté provocatrice. Cet ensemble (21 tableaux — 132 dessins, gouaches ou aquarelles — 7 sculptures) constitue, avec la fondation Dubuffet à Périgny qui le complète, la référence exemplaire et permanente indispensable pour comprendre l'œuvre du grand artiste et son influence dans l'art contemporain international.

LA VIE DE FAMILLE
série de l'Hourloupe, 10 août 1963

Jean DUBUFFET, né en 1901

« ... Une tribu d'extra-terrestres débarque ainsi sur la table à dessin de Jean Dubuffet au cours de l'été 1962; l'apparition ne s'évanouira pas... »

« Le germe de l'Hourloupe se reproduit et se diversifie comme une cellule par divisions successives [...]. Cette création va peu à peu prendre possession de l'univers entier : l'homme et le chien, la rue et les piétons, des personnages en marche, des paysages [...] elle absorbe tout. Une autopsie mentale de la cervelle défile dans un délire maîtrisé, dure toute l'année 1963. Cette création, en décalage absolu avec nos visions, métamorphose les objets qu'elle rencontre. Jean Dubuffet a posé sur son nez des lunettes hourloupiennes et son horizon se colore de rayures et de circonvolutions dont la nature n'offre pas d'exemple à l'œil nu [...]. Que sont ces rayures ? Que sont ces formes cernées, emmêlées les unes aux autres ? Ce monde où rien n'est plat, où il n'y a pas d'aplat sinon pour le noir et le blanc, parfois.

« Rappel de la cartographie constituée de frontières et de lignes de niveaux. Considérons des cartes très anciennes à l'époque de la grande errance des voyageurs, des inventaires sans fin pour retrouver les chemins quand elles ne sont pas simplement des représentations symboliques pour calmer l'esprit. Jean Dubuffet ne peut s'empêcher de prendre tout ce qu'il touche, de la tête ou de la main, dans le filet de ses réseaux. Ici, les humains se diffusent et se perdent dans les paysages comme des caméléons et les villes ont perdu leurs centres nerveux, ramifications étales, sans hiérarchie de valeurs, ni au sens propre ni au sens pictural. Le mot puzzle vient naturellement à l'esprit, c'est le moment de se souvenir que le sens français du mot est "embarras"... »

Jean-Marie Lhôte, *Jean Dubuffet, 1942-1983*, éd. Trois Cailloux, Maison de la Culture d'Amiens, 1984.

Huile sur toile
H. : 1,50 m. L. : 1,95 m
Donation Jean Dubuffet, 1967
Inv. 41469

LE GRAND PÉTALE
vers 1975

Elisabeth JOULIA, née en 1925

Formée aux Beaux-Arts de Clermont-Ferrand où elle apprend tout, sauf la terre, Elisabeth Joulia choisit le grès pour son contact direct et la possibilité d'accéder au monumental. Elle s'installe en 1949 à la Borne, village du Haut-Berry où le travail du grès remonte au XVIᵉ siècle. C'est l'époque héroïque où les fours de potiers de grès traditionnels passent dans les mains de jeunes tentés par l'aventure de la terre, à la suite de Paul Beyer (1873-1945), autour de Vassil Ivanoff (1897-1973), de Jean et Jacqueline Lerat. La Borne et ses environs deviennent l'un des hauts lieux de la renaissance de la céramique, dans son expression la plus pure et la plus austère. Il y a dans l'œuvre de Joulia deux lignes de travail qui coexistent et s'enrichissent mutuellement : l'une attachée à la création d'objets quotidiens, l'autre consacrée aux vases à fleurs et aux objets sans fonction. Si elle impose aux uns et aux autres un authentique tempérament de sculpteur, elle se permet toutes les libertés lorsqu'il s'agit de vases ou d'« objets » tels que les amandes ou ce grand pétale, unique dans son œuvre, acquis à la suite de l'exposition *Artiste/Artisan* (Musée des Arts Décoratifs, 23 mai-5 septembre 1977, cat. nº 40). C'est une pièce de grande dimension, modelée en quatre éléments : deux pétales, blanc et orangé, protégés par deux coques sombres traversées de reflets rosés. Il y a un contraste saisissant entre la fragilité des pétales éphémères et la pérennité du grès, lourd et sonore. Il appartient aux années 70 où « affranchie [...] de ses propres réticences, Joulia façonne et cuit avec une liberté conquise jour après jour, dans le silence, se refusant à toute gratuité » (*cf.* Geneviève Becquart, *Joulia 1950/1983*, Musée de Saint-Amand-les-Eaux, 1983, p. 16).

Grès
H. : 0,29 m. L. : 1,15 m. l. : 0,52 m
Acheté à l'artiste par l'intermédiaire de la
galerie Jacqueline Blanquet en 1977
Inv. 46191

SEA FORMS
1983

Dale CHIHULY, né en 1941

Cet ensemble de trois pièces appartient à la série des « Sea Forms », ces formes marines qui apparaissent en 1981 dans l'œuvre de Dale Chihuly à la suite des « Pilchuck Baskets » inspirés des vanneries indiennes de la côte nord-ouest américaine, dont il est originaire. Après une formation de décorateur, il découvre le verre en 1966-1967 à l'Université de Wisconsin, sous la direction de Harvey Littleton, considéré comme le promoteur du mouvement verrier d'atelier aux États-Unis. L'année suivante, il obtient une bourse Fullbright qui lui permet de faire un stage chez Venini à Murano où il s'initie à la subtilité du travail du verre. Il rentre aux États-Unis après un tour d'Europe où il rencontre les artistes verriers les plus importants et qui deviennent ses amis : Erwin Eisch en Allemagne, les Libensky en Tchécoslovaquie, et prend bientôt figure de chef de file, enseignant le verre à la Rhode Island School of Design, à Providence, sur la côte est, créant à Pilchuck, au nord de Seattle, à l'autre bout des États-Unis, une université d'été qui devient progressivement un lieu de rencontre et de formation des verriers du monde entier. On y travaille seul ou en équipe et cette dernière méthode a la faveur de Dale Chihuly qui l'applique à son œuvre personnelle. Succédant aux « Pilchuck Baskets » qui remplacent à partir de 1977 les « Blanket cylinders » dont les décors s'inspirent de ceux des couvertures des Indiens Navajo, la série « Sea Forms » utilise à fond les possibilités du verre soufflé, modelé à chaud, réalise une synthèse entre les techniques vénitiennes, des souvenirs issus de la culture indienne aussi bien que de ses expériences de pêcheur de saumon, exprime tout à la fois une vitalité baroque et une volonté de classicisme.

Verre soufflé
H. totale : 0,165 m. L. : 0,445 m
P. : 0,445 m
Signé et daté sous la grande coupe
Chihuly 1983
Don de l'artiste, 1984
Inv. 54568

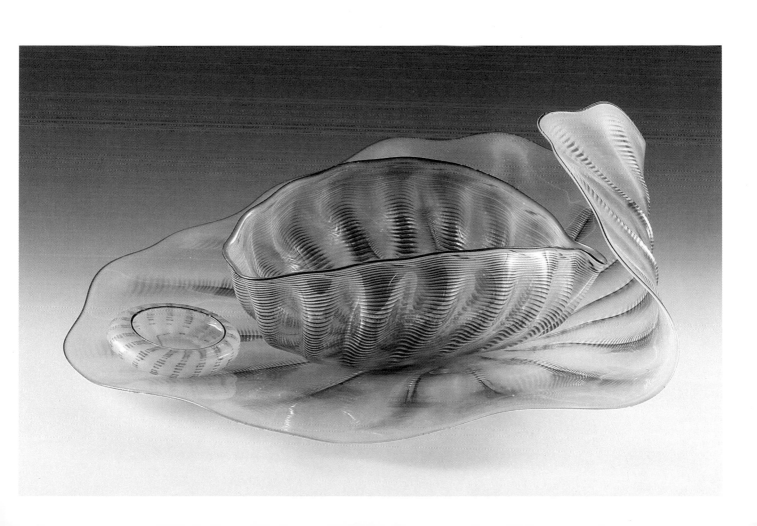

La fabrication des poupées en France a été, de tout temps, l'apanage de Paris. Ambassadrices de mode souvent, les poupées concrétisent surtout, depuis toujours, l'amour maternel chez l'enfant. Poupées de bois, poupées de papier mâché, poupées de cire — c'est au XIXᵉ siècle que l'utilisation de la porcelaine leur apporte le raffinement qui transformera profondément leur industrie. La multitude des brevets témoigne des nombreux perfectionnements qui leur sont apportés — la poupée ferme les yeux, elle marche, elle nage et même, dès 1893, se met à parler les langues étrangères grâce à un système de disques interchangeables.

Bru, Huret, Steiner, Rohmer, Jumeau en sont les principaux créateurs. La production de ce dernier était considérable — en 1881, plus de 100 000 poupées sortirent des ateliers de Montreuil. Sa renommée fut mondiale, il obtint de nombreux prix lors des Expositions universelles. En 1899, il forme avec neuf autres fabricants la S.F.B.J., tout en conservant ses propres marques de fabrique, et ceci jusqu'en 1957.

DOG-CART
vers 1880

Carriole en osier sur deux roues de fer, cheval en peau
L. Chenel

H. : 0,43 m. L. 0,90 m
Achat, 1982
Inv. 51101

POUPÉE
1907

Tête en biscuit, corps en composition
Jumeau

H. : 0,40 m
Don Mᵐᵉ de Pardieu, 1976
Inv. 45407

De tout temps, il était de tradition d'offrir des soldats aux jeunes garçons; ceux du Dauphin étaient en argent.

Au XIXe siècle, les soldats les plus courants étaient en papier, vendus par planches que l'on découpait et collait sur du carton; leur nom est lié à celui de l'imagerie Pellerin, à Epinal. L'Allemagne, principalement Nuremberg, produisit surtout des soldats plats en étain, la France s'est spécialisée dans la fabrication des soldats de plomb — les plus beaux sortiront des ateliers de C.B.G. (Cuperly, Blondel et Gerbeau) auxquels s'ajoute en 1902 le nom de Mignot.

Souvent, pour des raisons d'économie, l'on substitue au plomb, le bois ou la tôle emboutie ou même de la composition à base de sciure, de colle et de blanc de Meudon.

FORT MUSICAL
vers 1900

Bois et papier
Une poignée actionne une boîte à musique
et fait défiler des soldats de bois fixés sur
un ruban d'entraînement

H. : 0,45 m
Achat, 1982
Inv. 50901

Dans l'histoire des jouets, l'ours n'est pas très ancien. L'Amérique et l'Allemagne revendiquent sa naissance. Dès 1903, la firme Morris Michtom demande au président Theodore Roosevelt l'autorisation d'appeler ses ours des *teddy bear* en souvenir d'un de ses exploits de chasse — à la même époque, Margarete Steiff à Geingen réalise des ours d'après les croquis de son neveu pris sur le vif au zoo.

L'ours en peluche apparaît dans les catalogues français d'étrennes dès 1907, ses créateurs furent Pintel, Lang... Aujourd'hui les ours sont lavables, dormeurs et même munis quelquefois d'un cœur qui bat — ils sont toujours les compagnons fidèles des enfants.

OURS EN PELUCHE
vers 1920

Yeux en boutons   Achat, 1982
H. : 0,60 m   Inv. 49692 b

OURS EN FOURRURE
1980

Synthétique lavable   H. : 0,65 m
Création D. Couthures pour Nounours   Don Nounours, 1980
                                   Inv. 49579

TABLE CHRONOLOGIQUE PAR MATIÈRES

TABLE DES MATIÈRES

Maquette de Pascale Augée et Jacques Maillot
Composition par Eurocomposition, à Sèvres
Photogravure par Bussière Arts Graphiques, à Paris
Achevé d'imprimer par Mame, à Tours,
le 20 mai 1985
Reliure par l'Imprimerie Mame

N° d'édition : 12017
N° d'impression : 11287
Dépôt légal : mai 1985
Imprimé en France